RAYMOND TURCOTTE

DU COQ
À L'ÂME

TheoDone Éditeur

Du coq à l'âme

Illustration de la page couverture : PIEM
Mise en page : Marie-Andrée Grondin

ISBN 978-2-923344-06-5

Dépôt légal – Bibliothèque et Archives nationales du Québec, 2006
Dépôt légal – Bibliothèque et Archives Canada, 2006

« Le sourire, propre de l'esprit humain, comme le dit la langue française, qui mêle le religieux et le comique en un même mot : le spirituel. » *Jacques Attali*

AVANT-PROPOS

Faut-il faire de l'HUMOUR un huitième sacrement ou, comme le disait encore mieux Ambroise Lafortune, «le huitième don du Saint-Esprit et le plus beau des mystères joyeux»? Si «le rire, c'est la santé», peut-on espérer que le rire dans ou par le sacré puisse nous bonifier à défaut de nous sanctifier? Au lecteur de juger!

Cette collection de bons mots, ce spicilège d'idées plus ou moins échevelées qui vont «du coq à l'âme», je souhaite qu'en ces temps troublés, ils puissent rasséréner un peu tous ceux et celles que l'époque dérange. Car – «Hosanna! pour les anas» –, l'humour est bien cette «vertu thérapeutique qui rend aux hommes leur dimension normale et aux événements leur importance relative», comme le suggérait si justement Madeleine Ferron.

Parfois, j'ai maintenu volontairement la formulation anglaise pour maintenir le sens d'origine et la saveur. À d'autres moments, j'ai dû adapter certaines citations ambiguës ou trop longues. Mais toujours j'ai respecté l'esprit, sans jeu de mots!

Je n'ai pas voulu verser dans l'eau bénite rose ou bleue du pieux laïc qui veut édifier ou convertir. Mark Twain disait à ce propos que «l'humour ne doit pas faire profession d'enseigner, ni de prêcher, mais il doit faire les deux s'il veut vivre éternellement». Il ajoutait finement: «Quand je dis éternellement, je veux dire 30 ans!» S'il se trouve, j'ai plutôt tenté d'être œcuménique et de parier sur une certaine tolérance «en voie de développement», ici et ailleurs.

Enfin, j'en appelle à tous ceux et celles qui, comme Henri Jeanson le décrivait si joliment, considèrent l'HUMOUR comme «une clef des champs, un instrument d'autodéfense, une manière de voir, une façon de self-control, un appareil à dépister les absurdités et les ridicules, un protège-cœur». Puisse la dimension SACRÉE – le contexte religieux – lui assurer une certaine élévation qui manque à notre ère, polluée par son terre à terre.

Amen et Allahluia!

Raymond Turcotte

Tout le monde connaît « Les sept Paroles du Christ », la célèbre cantate de Théodore Dubois. Il est assez étonnant qu'il n'ait pas retenu l'importante huitième parole, celle où le Christ dit à sa mère : « À dimanche… ! »

« … L'Oratoire, *Joe's Place*, comme les aviateurs américains nomment cet édifice illuminé lorsqu'ils cherchent une orientation nocturne vers Dorval. »

Yvon Leroux

Je me souviens d'une blague qui courait dans Rome : « Quelle est la différence entre Dieu et Wojtyla (Jean-Paul II) ? Dieu est partout et Wojtyla y est déjà allé ! »

Adriano Bartolini

Le cardinal Turcotte a donné ce conseil à certains pseudos humoristes d'ici, grands amateurs de sacres : « Ne salissez donc pas la vaisselle dont vous ne vous servez pas ! »

Le parrain demandait à l'officiant pourquoi il administrait le baptême en utilisant le latin plutôt que l'anglais. Le prêtre répondit finement : « Voyez-vous, le bébé ne comprend pas l'anglais, mais le Diable connaît le latin ! »

Ronald Knox

On demandait à un Indien s'il savait pourquoi « le soleil ne se couche jamais sur les possessions britanniques ». Il répondit très sagement : « Sans doute parce que Dieu n'aime pas trop se fier aux Anglais à la noirceur… »

Little Book of Canadian Proverbs

PETIT LEXIQUE

ABONNEMENT: « UN abonnement donne droit au salut militaire. DEUX abonnements donnent droit au salut éternel. » *Bernard Grasset*

AGONIE: « L'art de rester sur sa fin… » *Louis Bourgeois*

AIDER: « Aidez-moi, j'aiderai le ciel ! » *Jacques Rigaut*

ÂME: « On râle de devoir la rendre, mais son départ nous laisse froids. » *Jean Delacour*

AMIS: « Dieu nous donne une famille, mais, Dieu merci, c'est nous qui choisissons nos amis. » *Addison Mizner et Oliver Herford*

ANGOISSE: « Ça ne mange pas de viande le vendredi, ni les autres jours de la semaine, c'est âmenivore l'angoisse. » *Bruno Samson*

APÉRITIF: « C'est la prière du soir des Français. » *Paul Morand*

APOLOGIE: « Politesse tardive… »

APPARITIONS: « Présence d'esprits. » *Marc Elbert*

ARCHEVÊQUE: « Ecclésiastique chrétien d'un rang supérieur à ce que le Christ a jamais atteint. » *H.L. Mencken*

ASCÉTISME: « *Self*-sévices… » *Noctuel*

ASIE: « Continent qui s'est refait grâce à la Sainte Enfance. » *J. Languirand*

ATHÉE: « Un homme châtré du côté de l'âme… » *Marcel Jouhandeau*

AU-DELÀ: « Je n'y crois pas, mais j'emporte toujours un caleçon de rechange. » *Woody Allen*

AUMÔNIER MILITAIRE: « Un rabbin qui accompagne l'armée pour voir à ce que la tuerie soit *kosher*… » *L.L. Levinson*

AUTREFOIS: « Le temps où *L'Eau Bénite* n'était pas encore une bière artisanale… » *R.T.*

AVEU: « Une bonne confession vaut mieux qu'une mauvaise excuse. »

« Je propose une minute sans bedaine pour les enfants du Tiers-Monde ! »

Pierre Desproges

Moïse redescend du Sinaï et proclame : « J'ai deux nouvelles pour vous, une bonne et une mauvaise. La bonne, c'est que j'ai réussi à convaincre Jéhovah de limiter à 10 le nombre des commandements. La mauvaise, c'est que l'adultère est toujours parmi les 10 ! »

Assemblée spéciale chez les Témoins de Jéhovah : les ventes de bibles sont à la baisse ! Une exception : un bègue qui vend comme ce n'est pas permis. On lui demande son secret et il explique : « Une fefefois en-entré, jjje leur di-dis qui-qui je suis et leur pa-parle de la bibi-bible. Didix minutes a-après, jjje leur di-dis : Ou bien vou-vous l'achetez, ou bien jjje con-continue à la li-lire au complet ! Ça-ça-ça prend à tout coup ! »

Grand'Maison et Lefebvre

« C'est dans les journaux que je prends de mes nouvelles. »

Jean-Paul II

« Porter sa croix, au bout du compte, c'est peut-être se montrer capable de changer son Jésus d'épaule... » *R.T.*

L'évêque de Marseille, Mgr Jean Delay, avait osé publier une lettre pastorale dénonçant le sort fait aux Juifs, en pleine guerre ! Le chef de la Milice locale le rencontra et lui dit tout son mépris pour cette audace en l'injuriant : « Monseigneur, vous êtes un cochon ! » Et l'évêque de répliquer : « Delay, mon fils, Delay... ! »

– Des sans-culottes : « Maury, à la lanterne ! »
– Le cardinal Maury : « Y verrez-vous plus clair ? »

– Un ami : « Mahatma, vous devez savoir que Lord Irwin ne prend jamais de décision avant d'avoir fait une prière…»
– Gandhi : « Dans ce cas, pourquoi pensez-vous que Dieu s'entête à lui donner de mauvais conseils ? »

« Je suis communiste le jour et catholique aussitôt qu'il fait noir ! »
Brendan Behan

– La potineuse : « Mais… croyez-vous en Dieu ? »
– Hemingway : « … Quelquefois, la nuit ! »

Une bonne âme murmure à l'oreille de Churchill : « Saviez-vous que De Gaulle se prend pour Jeanne d'Arc ? » Le Premier ministre anglais fait mine de se rembrunir et rétorque : « Oui, je le savais… Je crains seulement que mes misérables évêques ne m'autorisent pas à le brûler ! »

« Dieu et Dieu font quatre. »
Pierre Dudan

Un curé et un chauffeur d'autobus se retrouvent au même moment à la porte du Ciel. Jugement de saint Pierre, lisant son livre d'or : le curé doit aller en enfer et le chauffeur au ciel ! Le curé dépité interroge le saint portier. Celui-ci explique : « Vois-tu, toi, avec tes sermons, tu endors les gens ; lui, avec sa façon de conduire, il les force à prier ! Voilà ! »

Après avoir lu, relu et re-relu un de ses poèmes, Robert Browning dit à son public médusé : « Quand il a été écrit, seuls Dieu et Robert Browning en connaissaient la signification. Maintenant, il n'y a plus que Dieu ! »

Orson Welles

Le jeune vicaire n'est pas très fort dans ses prêches. Son curé le présente à son évêque pour qu'il l'instruise en la matière. L'évêque lui fait alors une démonstration : « Il faut capter l'attention des fidèles… Tu commences en disant : "J'ai une blonde…" Tu laisses porter quelques secondes et tu enchaînes : "C'est une femme mariée…" et tu conclus avec un sourire : "C'est la Vierge Marie !" » Le vicaire exploite donc la leçon le dimanche suivant en ces termes : « Monseigneur a une blonde !… C'est une femme mariée !… Je ne me souviens plus du reste… »

– Chaplin : « Mon prochain rôle ? … Jésus-Christ ! »
– Churchill : « Euh, hum… Vous a-t-il accordé les droits ? »

Le cardinal Villeneuve s'amène chez Maurice Duplessis en tenue d'apparat : « J'espère que le rouge ne vous gêne pas ? » Et le Premier ministre, fin renard, répond : « Quand c'est bien porté, jamais, Éminence ! »

Le même Maurice Duplessis n'était jamais rebuté par ce que nous appelons aujourd'hui le *politically incorrect*. Qu'on en juge plutôt ! C'est ainsi qu'à l'époque, on l'aurait entendu commenter : « Mieux vaut un archevêque ROY qu'un cardinal LÉGER ! »

PETIT LEXIQUE

BABEL : Nom que donnait Caïn à son frère quand il ne pouvait plus s'entendre avec lui…

BALEINE de JONAS (la) : « Cétacé inattendu… » *Serge Mirjean*

BANALITÉ : « Souverain poncif… » *Claude Robert*

BAPTISTES : « … Ne sont drôles que sous l'eau. » *Neil Simon*

BIBLE : « La Bible ne fait pas le moine. » *Alexandre Breffort*

BIBLE : « Encre de salut des chrétiens… » *Claude Falardeau*

BIÉNERGIE : « Le bœuf et l'âne de la crèche… » *Guy Mongrain*

BIGOTE : « C'est une si bonne chrétienne que tout ce qui lui arrive est une épreuve et tout ce qui arrive aux autres, un jugement. » *Addison*

BOUDDHISME : « Seule religion à ne pas vouloir faire le bonheur des gens malgré eux, à ne pas connaître de jusqu'aubouddhistes… » *Bruno Masure*

L'un de mes trois petits-fils, passant devant un cimetière, a eu cette réflexion sublime : « Tiens !… des morceaux d'église ! »

Aperçue dans un cimetière d'autos, cette affiche : « Rust in peace ! »

Aperçue dans un cimetière d'autos, cette affiche : « Rust in peace ! »

« Si vous sautez dans un puits, la Providence n'est pas obligée d'aller vous y chercher… » *Sagesse persane*

Le vicaire fait taire deux enfants turbulents : « Chut ! … les gens à côté de vous ne peuvent pas prier ! » Un enfant réplique : « C'est à vous de leur apprendre… »

Il y a ces trois gaillards attablés à la brasserie : un Italien, un Polonais et un Québécois. Tout à coup, sur un coup de tonnerre feutré, entre Jésus en personne et en habit de travail. Il va rejoindre le trio et prend une bière fraîche avec eux, sidérés mais réconfortés. Comme il s'apprête à les quitter, les trois amis se lèvent. Jésus tend la main à l'Italien et lui dit : « En vérité, en vérité, tu devrais fréquenter ton église un peu plus… et, pour t'y encourager, j'éloigne de toi ce début d'arthrite qui te fait souffrir… » L'Italien se jette à genoux et crie : « C'est oune miracle, grazie Seigneur, grazie ! » Touchant ensuite l'épaule du Polonais, le Seigneur dit : « En vérité, en vérité, pour un compatriote du pape, tu n'es pas un fervent pratiquant… mais tu peux le devenir. Pour t'y faire penser, je t'enlève ce torticolis qui te gêne depuis si longtemps… » Le Polonais s'agenouille brusquement et crie, dans sa langue : « Miracle ! Merciski mon Dieu ! » Comme Jésus s'approche du Québécois, celui-ci recule et dit : « Touchez-moi pas, Seigneur… J'veux pas être guéri, j'suis sur la CSST ! »

Albert Duchesne

La maman : « Qu'est-ce que tu es en train de dessiner, mon chéri ? » Il répond : « Le ciel ! » « Mais… personne ne sait à quoi ça ressemble le ciel ! », fait la mère. Et le petit de conclure : « Attends que j'aie fini, ils vont le savoir ! »

– Ambroise Lafortune : « Je suis le suppositoire ambulant de toutes les constipations dans le monde catholique… »
– Monseigneur Dupont (évêque en Afrique) : « Comme je sais où ça se place, j'imagine pour quoi vous prenez les évêques ! »

Ambroise Lafortune

17

« La basilique dédiée à saint Antoine (à Padoue) n'est distante que de quelques dizaines de kilomètres de la cité lacustre (Venise) et, sans le dire, j'avais derrière la tête l'envie d'aller glisser un petit merci au saint pour tout ce qu'il m'avait aidé à retrouver. Il faisait chaud, c'était l'été, et nous étions tous les trois en tenue légère. Jacqueline et François (Reichenbach) demeurèrent en retrait tandis que je m'en allai effleurer des doigts la pierre noire que des millions de personnes ont caressée de la main depuis 1231, date de la mort du saint. Considérant sa tenue, François me lança, ironique pour ce qu'il pensait être de la superstition : « En tout cas, moi, je ne peux rien perdre. » Nous sortîmes du lieu saint, François avait perdu la voix. Il était aphone et le demeura quatre jours. Certes, il faisait très frais à l'intérieur de la basilique et très chaud dehors. Or, quelques semaines plus tard, je rencontrai à l'Académie (des Beaux-Arts) le révérend père Carré et lui racontai cette anecdote. Le dominicain sourit et conclut d'une voix douce : « Ça, voyez-vous, cher ami, c'est l'humour de Dieu ! »

Gérard Oury

On connaît la blague classique du prêtre et du rabbin qui s'estiment mutuellement, assez en tout cas pour se tirer la pipe, comme on dit chez les non-fumeurs. Le prêtre, un jour, demande à son ami : « Dis donc… quand vas-tu te laisser aller une bonne fois et te décider à manger du porc ? » Et le rabbin de rétorquer : « À ton mariage, tiens ! »

« Le vrai croyant est celui qui croit en ce qu'il croit et non à ce que les incroyants tentent de lui faire accroire. »

Pierre Dac

« En convertissant les juifs, vous faites monter le prix du porc ! »

Shakespeare

« La charité chrétienne est la plus poétique des vertus ; c'est l'amour appliqué avec un entier désintéressement. Et le ciel ? »

S. Prudhomme

« Oh ! je soutiens un combat contre quatre médecins ! S'il en vient un cinquième, je suis mort ! »

Le saint curé d'Ars

– La marguillière : « Pensez-vous que nous verrons le mariage des prêtres ? »

– Le vicaire : « Nous, non… mais nos enfants, sûrement ! »

André Frédérique

« Les cloches appellent à l'office, mais n'y vont jamais… »

M. Luther

« Agenouillez-vous et remerciez Dieu d'être sur pieds ! »

Jeff Silverman

Un octogénaire encore très alerte avait émigré en Floride… Il tenait à ce qu'on le croie moins âgé et avait pris divers moyens pour ce faire : cheveux teints, chirurgie esthétique, etc. Or, alors qu'il roulait à tombeau ouvert dans sa Corvette, en joyeuse compagnie, la foudre le frappe… et l'enferme dans ledit tombeau. Il arrive au Ciel tout secoué et demande au Seigneur : « Pourquoi moi, mon Dieu ? » Et Dieu de répondre : « Excuse-moi, je ne t'avais pas reconnu ! »

Steve Allen

PETIT LEXIQUE

CALOTIN : « Empâté de Foi… »
Dictionnaire des mots d'esprit

CAMEMBERT : « C'est les pieds du Bon Dieu ! »
Léon-Paul Fargue

CANA : « Où c'est en vin que l'on but de l'eau… »
Maurice Curnonsky

CANONS de BEAUTÉ : « Comme on évoque souvent les canons de beauté, il est permis de s'étonner qu'il existe si peu de femmes canonisées… »
H. Domont

CARDINAL : « Sous-pape de l'Église. »
Marquis de Bièvre

CATACOMB : « Peigne pour chat catholique… »

CERCUEIL : « Le cercueil est une oreille ouverte. On y entend déjà le Ciel et on y entend encore la Terre. »
Victor Hugo

CERCUEIL : « Paletot de sapin dont on habille les morts. »
R. Bergeron

CHOIX : « Je n'aime pas l'idée d'avoir à choisir entre le Ciel et l'Enfer : j'ai des amis dans les deux ! »
Mark Twain

CHRIST (le) : « C'est un homme qui est venu au monde 5 000 ans avant son temps… »

CHUTE d'ADAM et ÈVE (la) : « Une erreur de Genèse… »
Boris Vian

CIMETIÈRES : « Les vestiaires de la Résurrection. »
André Froissard

CLOCHER : « … Un doigt qui nous montre le Ciel. »
Adage germanique

CLOCHERS D'ÉGLISE : « Des entonnoirs renversés pour conduire les prières au Ciel. »
Georg Lichtenberg

COÏNCIDENCES : « Sont le pseudonyme de la Grâce. »
Pierre Assouline

COMMANDEMENTS (les) : « Le onzième : mêlez-vous de vos affaires ! »
H.L. Mencken

CONCERT SACRÉ : « Spectacle tous chants. »
J. Bonot

CORNETTE : « Bonnet d'âme… »
Le Canard enchaîné

COURAGE : « C'est la peur qui dit ses prières… »
Dorothy Bernard

« Le bon Dieu aide le marin, mais celui-ci doit ramer lui-même. »

Adage suédois

« Vous avez deux oreilles, l'une pour écouter ce qu'on vous dit, l'autre pour entendre ce que l'on ne vous dit pas… »

Cardinal Salièges

Un mendiant frappe à la porte du presbytère : « Bonjour, ma bonne dame… je n'ai pas mangé depuis trois jours ! » La plantureuse ménagère de réagir : « Ah ! j'aimerais donc avoir votre force de volonté ! »

Le missionnaire fait de l'épate auprès de ses neveux : « Je me suis alors retrouvé près d'un lion… tout seul… sans arme… Il s'approchait de plus en plus… je sentais son haleine… sa gueule grande ouverte me menaçait… alors… » L'un des neveux angoissé : « Alors ? Qu'est-ce que tu as fait ? » Et le missionnaire, content de son effet, répond : « Je n'avais pas le choix… je me suis déplacé vers une autre cage ! »

« Nul ne peut honorer Dieu et aimer son prochain avec le ventre vide ! »

Woodrow Wilson

« On peut se demander aujourd'hui si Marx ne s'est pas trompé et si ce n'est pas plutôt l'opium qui est devenu la religion du peuple. »

André Frossard

Un ecclésiastique tentait de convertir Mme Strauss. Elle l'arrêta : « C'est inutile, monsieur l'abbé, j'ai trop peu de religion pour en changer. »

Stéphane Prince

– Le mathématicien : « T'es croyant, Norman ? »
– Le psy : « Je suis athée… mais je suis flexible ! »

Réplique du film Sphère

❦

« Non, je ne crains pas la mort. Seulement, je trouve que la Providence a mal arrangé les choses. Ainsi, je préférerais de beaucoup qu'on enterre mon âme et que ce soit mon corps qui soit immortel. »

Aurélien Scholl

❦

C'est le père oblat qui a passé sa vie dans le Grand Nord et qui meurt à demi congelé. Saint Pierre l'accueille et le laisse entrer au paradis. Une heure s'est à peine écoulée que l'oblat se plaint de geler comme c'est pas possible. Saint Pierre lui offre de descendre au purgatoire. Nouvel échec ! Saint Pierre le confie alors à Lucifer : l'enfer, c'est l'enfer ! Curieux de savoir comment son ami oblat s'en tire, saint Pierre descend s'enquérir auprès de Lucifer : « Comment va mon ami du Grand Nord ? » Et Lucifer de confirmer qu'il est là, recroquevillé sur lui-même… Il entrouvre la porte de l'enfer pour le lui montrer du doigt quand on entend le bon oblat hurler : « LA PORTE !!! »

❦

« Quand Dieu s'est aperçu qu'il était dans la nature de l'homme d'être inconstant, il a créé les femmes en surnombre. »

Jean Delacour

❦

« Les fous se précipitent où les anges craignent de poser les pieds. »

Alexander Pope

❦

« J'aime autant vous le dire, j'ai horreur des curés !
– Ça tombe bien, moi aussi : je suis vicaire ! »

Jésus marche sur l'eau. Saint Thomas s'y essaie, mais s'enfonce. Alors, pour sauver la face, il dit : « Vous savez, Seigneur, elle est vachement bonne ! »

À mon avis, en toute charité chrétienne… je trouve le chanoine Untel un peu trop snob… Avoir des poches sous les yeux signées « Gucci » !

« Untel vient de changer de religion !
— Tu veux dire qu'il ne se prend plus pour Dieu ! »

Un couple se présente pour louer un appartement. Apprenant que le nom de l'intéressé était Lévy, le proprio avoue carrément : « Je ne loue pas aux Juifs ! » Le pauvre Lévy proteste : « Mais… je suis catholique… et pratiquant ! » Soupçonneux, le proprio enquête : « Ah bon ! Et qu'est-ce qu'il y a derrière le maître-autel ?
— Jésus sur la croix !
— Ah ! Et où il est né Jésus ?
— Dans une étable, à Bethléem !
— Et pourquoi dans une étable ?
— Parce qu'à cette époque-là, il y avait déjà des salauds comme vous qui ne voulaient pas louer aux Juifs ! »

Hervé Nègre

« Oui, Jésus était Juif ! Mais seulement du côté de sa mère… »

A. Bunker

« Dieu est un vieux monsieur qui adore se faire prier. »

A. Breffort

Avez-vous entendu parler de la chaîne de discothèques popularisée en Israël : *Let My People-a-Go-Go* ?

🐝

– Le vantard : « Moi, je me suis fait tout seul ! »
– Marcel Aymé : « Ah ! vous déchargez Dieu d'une bien grave responsabilité… »

🐝

Extrait du film *On ne meurt que deux fois* :
– Charlotte Rampling : « Vous connaissez le poète allemand Henrich Heine ? Au moment de sa mort, il a dit : "Dieu me pardonnera parce que c'est son métier…" »
– Michel Serrault : « Ce n'est malheureusement pas le mien. Vous tuez, Dieu pardonne, moi j'enquête ! »

🐝

« J'ai été peinée d'apprendre le décès de votre mari…
– Merci ! … J'espère seulement qu'il est allé là où je sais qu'il n'a pas pu aller… »

🐝

« Comprenez que si c'est à la cuisine, le Seigneur circule parmi les marmites… »   *Sainte Thérèse d'Avila*

🐝

« Si tu décides d'éliminer toutes les scènes de violence, il faut que t'enlèves les crucifix des églises. »   *Pierre Légaré*

🐝

Deux chèvres se sont glissées dans un entrepôt d'Hollywood et se régalent en mangeant une bobine du film *Les dix commandements*. L'une demande : « Et puis, tu aimes ? » Et l'autre répond : « C'est moins bon que le livre ! »

C'est le milliardaire Onassis qui sent sa fin approcher. Il interroge son secrétaire : «Toi qui sais tout… combien m'en coûterait-il pour que le pape vienne officier à mes funérailles ?» Le secrétaire, un peu interloqué, répond : «Si jamais il acceptait, ce serait sûrement une dépense de 250 000 $, au bas mot !» Et l'armateur de continuer : «Et pour qu'on célèbre mes funérailles à Saint-Pierre même ?» Le secrétaire, de plus en plus médusé, fait : «Vous ne vous en tireriez pas pour moins d'un demi-million de dollars, et encore !» Onassis poursuit dans un souffle : «Et pour être inhumé dans le tombeau même du Christ ?» Le secrétaire, découragé, propose : «Pour ça… ça ne serait pas moins de deux millions… U.S. !» Et le patriarche grec de conclure : «Dis donc… c'est pas un peu cher… pour trois jours ???»

«Vous savez que le pape est le frère de la reine d'Angleterre ? Jean-Paul et Elizabeth, ils ont tous les deux le même nom de famille : II… »

Coluche

«Les hommes se chamaillent pour la religion ; écrivent pour elle ; se battent pour elle ; meurent pour elle ; tout, excepté vivre pour elle. »

Charles Caleb Colton

Un vieil homme agonise. Son ami lui recommande : «Si tu vois ma femme, de l'autre côté… dis-lui que je m'ennuie d'elle et que… » Le moribond se choque alors : «Dis donc, tu pourrais pas faire tes commissions toi-même ?»

À la porte du Ciel : « On est prié de ne pas claquer l'apôtre. »

Alexandre Breffort

Au tableau d'affichage d'une petite église du Wyoming : « Thème de ce dimanche : "Savez-vous ce que c'est que l'Enfer ?" Et juste au-dessous : "Venez entendre notre nouvel organiste." » *Steve Allen*

À la porte d'une église : « Venez à la messe ce dimanche-ci ! Évitez la bousculade de Noël ! »

Près du stationnement d'une église : « Pour membres SEULEMENT ! (Les contrevenants seront baptisés !) »

Pancarte à Dublin : « Dieu bénisse la Sainte Trinité ! »

Près d'un abri : « En cas d'attaque nucléaire, l'interdiction fédérale de prier dans cet édifice sera temporairement suspendue. »

Près d'une chapelle à mariages de Reno : « En cas d'urgence, sonnez ! »

« Recherchée : Bible usagée pour serments d'ivrogne… »

Salon funéraire : « Vous mourez, nous nous occupons du reste ! »

Sur un mur : « Vous devrez payer pour vos péchés ! » Et, plus bas, une note ajoutée : « Si vous avez déjà payé, ignorez cet avis. »

Vu à Winnipeg : « Thank Buddha It's Tuesday ! » *J.R. Colombo*

Vu sur un pare-chocs : « If you're heading in the wrong direction, God allows U-Turns ! »

Sur un autre pare-chocs : « Dieu vous aime et moi j'essaie aussi ! »

Même genre de pub : « Mon patron est un charpentier juif ! »

« Seul Dieu peut dire la vérité, toute la vérité et rien que la vérité et, jusqu'à ce jour, je ne L'ai pas reçu comme témoin à mon tribunal ! » *S. Tupper Bigelow*

L'un de mes petits-fils passe devant le mausolée d'un évêque à l'intérieur de la cathédrale Marie-Reine-du-Monde. Apercevant le splendide gisant, il s'exclame : « Ah ! le coquin ! Il fait semblant de dormir ! »

Un loustic qui demandait à son curé s'il était vrai que le sacristain avait un fort penchant pour le vin de messe s'est vu répondre sagement : « Il faut savoir lire entre les vignes… »

— Le rabbin : « Tiens ! Vous baptisez votre vin ? »
— Le prêtre : « Non… je le coupe ! »

Un très vieux curé s'élevait en faux contre l'obligation pour les prêtres de prendre leur retraite à 75 ans. « À cet âge-là, moi, je faisais encore de l'acné ! »

Le même très vieux curé affirmait fièrement : « Je suis prêt à laisser mon corps à la science… pourvu qu'on me fasse connaître les résultats ! »

— L'académicien : « Vous vous estimez beaucoup, me semble-t-il. »
— Le cardinal Maury : « Très peu quand je me considère, beaucoup quand je me compare… »

Un jésuite à qui on reprochait d'être un visage à deux faces eut cette jolie réponse : « Vous croyez vraiment que si j'en avais deux, j'aurais gardé celle que j'ai ? »

Mon ex-professeur, le jésuite Ernest Gagnon, racontait cette aventure. Un jour, après des funérailles, il s'apprête à monter dans une auto et calcule mal ses distances : il se frappe lourdement le front sur le bord du toit. Quelqu'un à l'intérieur demande : « Vous vous êtes fait mal… ? » Et lui de répondre avec un sourire en coin : « Au contraire, au contraire ! »

Un journaliste s'informait auprès d'un jésuite de l'authenticité d'un ouï-dire sur la supposée habitude qu'ils avaient, dans leur communauté, de toujours répondre en trois temps. « Est-ce vrai, mon père ? » Et il s'entendit répondre lentement : « Non… non… non ! »

Un avocat disait à la religieuse en charge des finances de sa communauté : « Ma sœur, expliquez-moi les choses clairement… Je me charge de les embrouiller… »

Un curé, découvrant que son évêque allait remettre une décoration à un mafioso connu de lui, se permit de lui suggérer : « Quand vous lui passerez le cordon autour du cou, serrez, serrez très fort ! »

Un humble petit Frère qui venait de recevoir l'Ordre du mérite diocésain était interviewé par un journaliste : « Qu'est-ce que vous avez fait pour le mériter ? » Et le petit Frère de répondre : « Rien… mais pendant longtemps ! »

L'évêque à qui on demandait s'il était favorable au mariage des prêtres répondit : « Oui et non… » Après un temps de réflexion, il continua : « Voyez-vous… si la femme du prêtre est jolie, ça risque de déranger ses paroissiens… Si elle ne l'est pas, c'est moi qui serai dérangé ! »

🌿

À la toute veille d'un conclave, on discutait des chances de certains cardinaux d'être élus pape. L'un d'eux, citant le nom d'un vieux cardinal italien, se permit de pronostiquer : « Le cardinal Untel nous ferait un bon pape : il sait se taire en six langues ! »

🌿

Vu à la porte d'une église de Toronto, cet écriteau éloquent : « Travaillez pour le Seigneur. La paye n'est pas énorme, mais le rendement à la retraite est *out of this world* ! »
John R. Colombo

🌿

Le cardinal Turcotte n'aime pas l'avion, c'est connu. Ça lui permet tout de même de méditer sur la Foi, l'Espérance… et la Gravité.

🌿

Aux funérailles du cinéaste Louis B. Mayer, l'officiant dit en aparté à Red Skelton : « J'ai rarement vu autant d'artistes à l'église… » Et Skelton de conclure : « Ça prouve une chose, mon père : donnez aux gens ce qu'ils souhaitent avoir… et ils viendront ! »

🌿

Des gens qui attaquent perpétuellement la religion ou les curés, un chef communiste disait : « Ils finiront par me faire aller à la messe ! »

PETIT LEXIQUE

DALAÏ-LAMA : « Il a rencontré son chemin de lamas… »
R.T.

DÉCORATIONS : « Les hommes couverts de croix font penser à un cimetière… »
Francis Picabia

DÉMOCRATIE : « C'est le succédané de la Foi pour les intellectuels privés de religion. »
Joseph A. Schumpeter

DEUIL : « C'est si ennuyeux, le deuil ! À chaque instant, il faut se rappeler qu'on est triste. »
Jules Renard

DIABLE (le) : « Le serpent du Jeu de Pomme… »
André François

DIEU : « Dieu seul le sait, et je Le connais, Il ne nous le dira pas ! »
Georges Feydeau

DIEU : « Le seul être qui se souvienne de l'avenir. »
René Bergeron

DIMANCHE : « Un jour à la Foi… »
R.T.

DIPLOMATE : « Quelqu'un qui peut vous envoyer au diable d'une façon telle que le voyage puisse vous intéresser. »
Caskie Stennett

DISTANCE : « Il est devenu plus facile d'aller à la Lune qu'à son voisin. »
Maurice Champagne

DOGES : « Les doges, qui adoraient se faire mousser, se mirent à faire des bulles, comme les papes. Mais leurs lagunes théologiques flagrantes les mettaient d'une humeur de chien. Depuis, les Vénitiens redoutent les bulles-doges… »
Bruno Masure

DOGMA **:** « Une maman-chien. »
Art. Moger

DOULEUR : « C'est le mégaphone de Dieu pour réveiller un monde de durs de la feuille… »
C.S. Lewis

DOUTE : « … Un hommage rendu à l'espoir. »
Lautréamont

DOUTE : « Ne crois pas que tu t'es trompé de route quand tu n'es pas allé assez loin… »
Claude Aveline

DOUTES : « Les indices pensables… »
Serge Mirjean

DRUIDE : « Le saint sylvestre… »

Un évêque expliquait au vicaire timoré à qui il venait de donner une promotion : « Vois-tu, mon gars, un bon curé, c'est comme un sachet de thé : c'est quand il est dans l'eau bouillante que tu peux juger de sa force... »

🐓

C'est le même évêque qui disait à des *baby boomers* : « Vous savez, le plus grand défi des jeunes d'aujourd'hui, c'est d'apprendre les bonnes manières sans en voir... »

🐓

« Si je suis élu à l'Académie française, je deviendrai immortel. Si je ne suis pas élu... je n'en mourrai pas ! »

André Roussin

🐓

Le petit vicaire s'apprête à baptiser de jolies triplettes. Il demande au père : « Comment allez-vous les prénommer ? » Le père répond sans attendre : « Jacinthe, Rose et Marguerite... » Le vicaire s'exclame alors : « Très original ! Venez...on va arroser votre plate-bande ! »

🐓

Un avocat qui avait des problèmes certains d'élocution s'adresse ainsi au juge : « Vo-votre Honneur, je dede je demande la papa... la parole ! » Son vis-à-vis rétorque : « Mon cher confrère, vous devriez plutôt la demander à Dieu ! »

Jean-Paul Lacroix

🐓

Adam : petit futé qui s'amusait à demander à tout-venant : « On ne se serait pas déjà vu quelque part ? »

Les confesseurs en entendent des vertes et des pas pures… Un cuisinier russe avouait voler régulièrement ses patrons. Devant le peu de contrition qu'il affichait, le confesseur crut bon d'obtenir des explications. Il en obtint. Le Russe lui avoua que dans ses livres de cuisine, la plupart des recettes commençaient de la même façon : « Volez deux œufs… »

« Dieu lui-même croit à la publicité : il a mis des cloches dans les églises. »
Sacha Guitry

« Les murs des vieilles églises […] ont si longtemps résonné du bruissement des litanies qu'on y attraperait la foi sans même s'en rendre compte… »
P. Guimard

Le recteur d'un Grand Séminaire disait souvent : « Ne vous vantez jamais d'avoir l'esprit ouvert sous prétexte que vous n'avez rien entre les deux oreilles ! »

Il disait aussi : « Si plusieurs de vos paroissiens vous disent que vous êtes un âne, réagissez : achetez-vous une selle ! »

Le spirituel abbé Mugnier, cet Ambroise Lafortune de la colonie artistique parisienne, disait du dessinateur humoriste Forain : « Il a dû être baptisé au vinaigre… »

« Un prêtre, c'est quelqu'un que tout le monde appelle mon père, excepté ses propres enfants qui doivent l'appeler mon oncle… »

Un vieux curé d'expérience admonestait un jeune étudiant qui venait d'abandonner le Grand Séminaire pour aller faire son droit : « Tu sais... les études que tu t'apprêtes à faire... c'est trois ans de Droit et le reste de travers... »

Un évêque américain super efficace avait son propre système d'enveloppes. À chaque nouveau curé, il remettait trois enveloppes scellées à n'ouvrir qu'en cas de crise grave. La première contenait ces mots : « Rejetez la faute sur votre prédécesseur. » La seconde disait : « Promettez une réorganisation majeure. » Enfin, la troisième annonçait : « Préparez trois enveloppes pour votre remplaçant ! »

« Il est plus facile d'aimer l'humanité en général que d'aimer son voisin... »
Eric Hoffer

« On ne peut pas peigner un diable qui n'a pas de cheveux... »

« Les dictionnaires sont de bien belles choses. Ils contiennent tout. C'est l'univers en pièces détachées. Dieu lui-même, qu'est-ce, au fond, qu'un *Larousse* plus complet ? »
Alexandre Vialatte

« Christophe Colomb, en arrivant au Ciel, il a dû tout visiter tout partout ! »
Jean-Marie Gourio

« Les prières trop soudaines font sursauter Dieu... »
Eric Thacker et Anthony Earnshaw

Je connais un curé de banlieue qui a trouvé un truc formidable pour empêcher que des non-croyants viennent perturber ses ouailles qui participent au bingo paroissial : il proclame les numéros en latin !

Un pilote d'avion : « Au décollage, j'étais athée ; je suis devenu méthodiste juste avant de *crasher !* »

Herbert V. Prochnow

« On vient de la terre et on y retourne, alors ne craignez rien. Ça, j'en suis certain : ON REPOUSSE ! »   *Bostel*

– Le reporter : « Alors, Monseigneur, maintenant que vous voici devenu cardinal, comment doit-on vous appeler ? »

– Le nouveau cardinal : « … De préférence pas trop tard… Et puis, vous savez, appelez-moi comme vous le voulez, mais n'oubliez pas que "l'éminence" grise… »

« Si les anges volent, c'est parce qu'ils se prennent eux-mêmes à la légère. »   *G.K. Chesterton*

Daniel-Rops, l'auteur de *Jésus en son temps*, aurait fait tout un pactole avec ce livre. Il aurait même acheté une magnifique pelisse de fourrure grâce à ses profits. On dit que François Mauriac, qui l'avait croisé, aurait caressé son manteau en susurrant : « Doux Jésus ! Doux Jésus ! » (Mauriac aurait nié que ce trait méchant était sien !)

« Le monde n'est pas tout l'univers. Peut-être existe-t-il un endroit où le Christ n'est pas mort. »   *Graham Greene*

Guillemin cite aussi Mauriac qui aurait affirmé : « Rien n'est plus déraisonnable que de se détourner de Jésus-Christ sous prétexte qu'il a fait la fortune de Daniel-Rops ! »

Jean Rivoire

Le Canard enchaîné avait surnommé Mauriac « saint François des Assises »… Et Sartre l'avait caricaturé ainsi : « L'eau bénite qui fait pschitt ! »

« Jésus monta au ciel sans se faire prier… »   *Gabriel Bacri*

« Que la foi soit mon toit. Que la bonté soit mon rez-de-chaussée. »

Théodore Monod

Un Noir s'amène chez saint Pierre. Il a réussi à se faire admettre dans l'Église baptiste blanche ! « J'y ai été reçu à bras ouverts ! Le pasteur m'a présenté. On est descendu à la rivière pour la cérémonie. Et puis, j'ai été plongé dans l'eau… À bien y penser, c'est la dernière chose dont je me souvienne… »

Milton Berle

« Le Pape : Vedette mondiale […] le monde aime de plus en plus le voir, à mesure qu'il se dispense de l'écouter. »

Julien Gracq

« Sans âme, ouvre-toi ! »

« Les étoiles. Il y a de la lumière chez Dieu. »   *Jules Renard*

« On prend toujours le ciel à témoin qu'on ne croit en rien… »

Georges Perros

« La façon qu'a George Bernard Shaw de croire en lui-même est tout à fait rafraîchissante en ces jours athéistes où tant de gens ne croient en aucun Dieu… »

Israel Zangwill

« Priera bien qui priera le dernier… »

« Le travail des missions en Nouvelle-Guinée commence à porter ses fruits : les statistiques montrent que le vendredi, le repas ordinaire se compose de pêcheurs ! »

Adlai Stevenson

« L'auto est un stimulant de la Foi. Je prie chaque matin pour qu'elle démarre ! »

Le bon vieux père Lalande était allé prêcher une retraite à la prison des femmes. Au moment où il a prononcé l'invocation bien connue « Cœur sacré de Jésus… », il a clairement entendu : « Sortez-nous d'icitte ! »

Micheline Lachance

– L'ambassadrice : « Ah ! j'adore le Vatican ! Tous ces religieux en costumes d'apparat… On se croirait au Paradis ! »
– Le cardinal Mathieu : « Vous savez, Madame, il n'y en a pas autant que cela au Paradis ! »

Devant un portrait particulièrement réussi de saint Bruno, un expert s'exclama : « S'il n'avait pas fait vœu de silence, il parlerait ! »

Gilles Ménage

PETIT LEXIQUE

ÉCOLOGIE : « Une religion myope. Le marxisme des repus. »
J.-P. Desbiens

ÉDEN : « Jardin de mère Ève. »
Gérard Bonnevalle

ÉGLISE : « C'est un hôpital pour les pécheurs, pas un musée pour les saints. »
Abigail Van Buren

ÉLECTORALISME : « Introduction à la vie des votes… »

EMBOUTEILLAGES : « Notre-Drame de Paris. »
Henri Bothua

ÉMINENCE GRISE : « L'Occulte de la personnalité. »
Noctuel

ENCENS : « Odeur de sainteté. »
Bruno Masure

ENFANT : « Un ange dont les ailes raccourcissent à mesure que les jambes lui allongent… »
Anonyme

ENTERREMENT : « C'est commode, un enterrement. On peut avoir l'air maussade avec les gens : ils prennent ça pour de la tristesse. »
J. Renard

ENTERREMENT : « Être mis au lit avec une pelle… »
L.L. Levinson

ÉPITAPHE : « Quelques vers sur beaucoup d'autres… »
Léo Campion

ERRER : « Le non-dupe erre… »
Jacques Lacan

ESPÉRANCE : « Dieu a donné une sœur au souvenir et Il l'a appelée l'espérance… »
Michel-Ange

ESQUIMAUX : « Le peuple de Dieu… congelé ! »

ÉTERNITÉ (l') : « C'est une horloge qui fait tic dans un siècle et tac dans un autre… »
George A. Buttrick

ÈVE : « La deuxième erreur de Dieu… »
Milton Berle

EXCOMMUNICATION : « Il ne manque pas d'adultes pour croire, à l'exemple de mon fils de 12 ans, que l'excommunication désigne la période qui a précédé l'invention du téléphone. »
Albert Brie

EXCOMMUNIER : « Dire à quelqu'un qu'il aura affaire avec Dieu en direct… »

Devant une autre toile, Fontenelle avait aussi décrété : « Ce portrait est d'une vérité ! On jurerait qu'il va se taire ! »

Un jeune clerc fouinard demandait à un vieux chanoine : « D'après vous, qui sera le prochain archevêque ? » Et le chanoine expérimenté de répondre : « Si on me consulte, ça pourrait bien être Mgr Untel… mais, si le diable s'en mêle, ça pourrait bien être vous ! »

M. de la Rivière était allé à Rome pour tâcher d'être cardinal. Or, il en était revenu bredouille, mais avec un gros rhume… « C'est qu'il est revenu sans chapeau », suggéra une bonne âme.

– Le bedeau : « Dites donc, l'ami… vous êtes en train de faire votre chemin de Croix à l'envers ! »
– L'ivrogne : « Ah c'est donc ça !… J'trouvais que le Christ prenait du mieux ! »

Des membres d'une congrégation se plaignaient de ce que leur prédicateur se servait toujours de notes pour ses sermons : « Si vous ne pouvez pas vous en souvenir, comment voulez-vous qu'on y arrive, nous ? »

– Le journaliste : « Vous étiez missionnaire au Japon et vous ne connaissiez pas la langue ??? »
– Le cardinal Léger : « Eh oui ! … Mais j'avais un succès fou au confessionnal ! »

– L'enquêteur de l'UNESCO : « Croyez-vous qu'une famine universelle soit possible ? » Le vieux missionnaire : « Hélas oui ! … Si les Chinois apprennent à manger avec une cuillère. »

– La paroissienne : « À parler franchement, mon père… je cherche un mari… »
– Le confesseur : « Vous feriez mieux de chercher un célibataire ! »

– Le directeur de conscience : « Vous n'allez toujours pas me dire que vous avez déjà tué un homme ? »
– Darrow : « Non, mais… je lis parfois les Avis de décès en souriant… »

– Le parrain : « C'est combien pour faire sonner UNE cloche ? »
– Le bedeau : « C'est 50 $. »
– Le parrain : « Ah ! Tabarouette ! … et tout le carillon ? »
– Le bedeau : « Ça serait quatre Tabarouette ! »

– Le guide : « Vous avez devant vous la cathédrale Marie-Reine-du-Monde, une réplique exacte de Saint-Pierre de Rome. Et derrière, c'est l'édifice de la Sun Life… »
– Un touriste : « Ça doit être le presbytère… »

– Le journaliste accrédité : « Combien de personnes travaillent ici, au Vatican ? »
– Le pape Jean XXIII : « À peu près la moitié… »

– L'employé : « Voici la note des frais funéraires pour l'enterrement de votre belle-mère… »

– Jérome K. : « Oh ! … comme quoi il n'y a pas de bonheur parfait ! »

– Le vieux sage : « Vous savez, la Terre n'est qu'une vallée de larmes. »

– Geneviève Dormann : « Le mieuxc c'est encore de les essuyer avec un chèque ! »

– Le Juif : « Ce que j'ai à vous reprocher ? Ça fait des milliers d'années que vous empruntez nos affaires ! Prenez les dix commandements, par exemple… »

– Le chrétien : « Ça, c'est vrai… Mais, au moins, vous ne pourrez pas nous reprocher de les avoir gardés ! »

– Le nouvel évêque : « Et quelles sont les précautions que vos ouailles prennent pour éviter les risques de pollution de l'eau ? »

– Le missionnaire : « Ah ! monseigneur, ils ne prennent aucune chance ! Ils la filtrent ou la font bouillir… et ils boivent de la bière ! »

– Le marguillier : « Franchement, monsieur le curé, votre vin de messe… j'en ai déjà bu du meilleur ! »

– Le curé : « Peut-être… mais sûrement pas ici ! »

– Le vicaire : « Dieu a fait l'homme à Son image et à Sa ressemblance. »

– Un misanthrope : « Dieu a eu des minutes d'excessive modestie… »

– Le vicaire : « Et toi ? Est-ce que tu écoutes tes parents ? »

– Le petit : « Ouais… quand la télé est brisée ! »

– Un rédemptoriste : « Tu ne sais pas la meilleure… ? On a annoncé mon décès dans les Annales de Sainte-Anne ! »

– Un confrère : « Ah bon ! … De quel endroit me parles-tu en ce moment ? »

– La mégère : « Vous irez en enfer ! ! ! »

– Un soldat : « Ce sera parfait… si vous n'y êtes pas ! »

Réplique du film Opération Cornouailles

« De nouvelles preuves récentes tendent à démontrer que le fondateur des Mormons, Brigham Young, n'était pas lui-même polygame. Il n'aurait eu qu'une seule femme, mais elle possédait quarante-sept perruques ! »

Milton Berle

– Le bedeau : « Tiens ! si c'est pas le père Anthime ! Content de vous voir ! On dit que vous avez eu toute une grippe ? »

– Le vieil Anthime : « J'ai failli y rester ! Mais, au prix que tu fais pour tes enterrements, je me suis retenu ! »

– La ménagère : « Pourquoi vous ne vous faites pas tremper les pieds dans l'eau chaude ? »

– Le curé-vieux-garçon : « C'est ça… je vais tout mouiller mes bottines pour vous faire plaisir ! »

FAKIR : « L'idole des jeûnes… »

Noctuel

FAMILLE MONOPARENTALE : « Leur problème, c'est qu'il reste toujours trop de jours à la fin de leur argent… »

Bill Vaughan

FANATIQUE : « Croyant qui, pour assurer le triomphe de SA foi, consent à faire le sacrifice suprême de VOTRE vie. »

Albert Brie

FANATIQUE : « Quelqu'un qui fait ce qu'il croit que Dieu ferait s'il connaissait tous les aspects de la question. »

Peter F. Dunne

FANATIQUES : « Ultras sont. »

F. Benoiston

FATIGUE : « Priez pour le repos de son âme, elle était tellement fatiguée. »

F.W. Rolfe

FÉMINISME : « Ainsi soit-elle ! »

Benoîte Groult

FEMME : « Si elle était bonne, Dieu en aurait une. »

Sacha Guitry

FÊTE JUIVE (la plus grande) : « … La remise des Oscars. » *Woody Allen*

FIDÈLE : « Hélas, ce n'est plus qu'un nom de chien… » *G. de Porto-Riche*

FLAGORNERIE : « L'homme est le chef-d'oeuvre de la Création, mais c'est lui qui le dit ! »

Elbert Hubbard

FOI : « Le plus grand acte de foi, c'est quand l'homme décide qu'il n'est pas Dieu. »

Olivier Wendell Holmes Jr.

FOI : « … soulève des montagnes, mais les laisse joyeusement retomber sur la tête de ceux qui ne l'ont pas. »

Boris Vian

FOI de CANARD : « Baisse de ferveur religieuse… »

R.T.

FRANC-MAÇON : « Digne des loges. »

Pierre Dewever

FRÈRE : Emploi de tout repos : « logé, chauffé, nourri, habillé, sauvé. »

Jean-P. Ferland

FRÈRE ANDRÉ : « Clerc obscur qui se fit mettre à la porte par sa communauté… »

R.T.

FUIR : « Ne fuyez pas l'Église sous prétexte qu'on y reçoit trop d'hypocrites. Il y a toujours de la place pour un de plus ! » *A.R. Adams*

– La grand-maman : « Tiens-toi tranquille ! Écoute un peu le sermon ! »

– Le jeune ado : « Si on lui donne son argent tout de suite, est-ce qu'il va s'arrêter de parler ? »

– Le pasteur : « Et puis, ma petite Angèle, as-tu aimé la cérémonie ? »

– L'adolescente : « La musique était pas mal *cool*, mais les pubs étaient *full* longues ! »

🐝

– L'avocat : « Votre Honneur, mon client approvisionne le Vatican en eaux purgatives ! »

– Le juge : « Vous feriez mieux de dire le Saint-Siège ! »

🐝

– L'aumônier militaire : « Un général américain homosexuel ? J'avoue que ça m'étonne un peu ! »

– Son informateur : « C'est comme ça… Il se bat pour la Tante Sam ! »

🐝

« Mettez votre confiance en Dieu, mais gardez votre poudre au sec ! »

Colonel V. Blacker

🐝

– Le vicaire-petit-salarié : « Entre nous… est-ce qu'il y a encore quelque chose à faire avec ma bagnole ? »

– Le garagiste : « Oui, l'abbé… Répétez après moi : "Que les âmes des fidèles défunts…" »

🐝

– L'officiant : « Et quel nom voulez-vous donner à votre enfant ? »

– La maman : « Ce sera Zptklonycks… Ça lui rappellera son père… »

– L'officiant : « Il était Slave sans doute ? »

– La maman : « Non… oculiste ! »

– Le prédicateur arpente la sacristie : « J'ai un de ces mal d'oreilles ! »
– Le curé local : « Vous vous écoutez trop peut-être… »

– Le douanier : « Vous me dites que c'est de l'huile de Saint-Joseph ? C'est curieux comme elle sent le whisky… »
– Le faux pèlerin : « Ah ben… UN MIRACLE ! ! ! »

– Le pénitent : « C'est depuis ce temps-là que je noie mes chagrins dans l'alcool, mon père…»
– Le confesseur : « Attention… ils savent nager, vous savez ! »

– Le vicaire : « Ma petite Édith… as-tu remarqué que ta grand-mère lisait souvent la sainte Bible ? »
– La petite Édith : « Oui… je pense qu'elle prépare son examen de passage… »

Un vieux père jésuite tente de consoler une grand-mère choquée par la mort de son petit-fils de 16 ans : « Vous savez bien qu'il est au ciel », fait le jésuite. « Le ciel, le ciel, mais c'est pas une place pour un gars de son âge ! », rétorque la grand-mère. *J. Grand'Maison*

« La seule vue d'une plume m'est devenue intolérable, et si j'étais un ange, je me plumerais moi-même, de crainte que mes ailes ne soient versées dans la calligraphie. » Edward Lear (1812-1888) *Jacques Languirand*

On demandait un jour à Diderot s'il y avait de vrais athées. « Croyez-vous, répondit-il, qu'il y ait de vrais chrétiens ? »

— Le catéchiste : « Alors, dis-moi, mon petit Roger, qu'est-ce que Noé faisait dans l'Arche ? »
— Le petit Roger : « Il faisait… il pêchait ! Mais, il a pas pris grand-chose, il avait seulement deux vers ! »

« Elle croyait que le Christ portait la barbe pour cacher un double menton ! »

Alina Fernandez

— Le *preacher* : « Il y aura des pleurs et des grincements de dents ! »
— Un badaud : « J'm'en fous, j'ai pas de dents ! »
— Le *preacher* : « Dieu va vous en redonner ! »

— Le galeriste : « Vous savez, monsieur l'abbé, l'art religieux est plus important qu'on le croit… Prenez *Le Christ* de Dali, il s'est vendu pour quinze millions d'anciens francs ! »
— L'abbé : « Et dire que Judas s'était contenté de 30 deniers ! »

La secrétaire bénévole de la paroisse quitte son emploi. Elle s'occupe tout de même de son remplacement en interviewant des candidates. « Alors… pas de problème avec la ponctuation ? »
— L'apprentie : « Pas du tout ! Je n'ai jamais été en retard de toute ma vie ! »

HIST⊖IRES DE CH⊖RALES

« Reste où l'on chante : les hommes méchants ne chantent pas. »

– La directrice : « Tu oses dire que mon église est mal insonorisée ! ! ! »
– Une rivale : « Ben… à 20 mètres, on t'entend encore chanter ! »

– La même directrice : « J'ai été reçue chez la présidente des Filles d'Isabelle… J'ai chanté toute la soirée ! »
– La rivale : « C'est bien fait pour elle… Je la déteste ! »

« … L'éloquence sacrée, c'est comme la musique religieuse : pas besoin de comprendre pour écouter. »   *Michel Audiard*

« Requiem : musique interprétée pour des gens qui ne peuvent plus entendre… »   *L.L. Levinson*

« Élevons-nous au-dessus des misères de la vie et chantons d'une voix légère le gai refrain si connu : *DIES IRAE* ! »   *Hector Berlioz*

À propos de l'*Alleluia* du *Messie* de Haendel, Shaw disait à une de ses correspondantes : « Je pense qu'il gagnerait à ce qu'on le laisse tremper dans l'eau chaude une dizaine de minutes… »

– Le ténor : « Pourquoi faut-il qu'un chantre de synagogue soit marié ? »
– Le rabbin : « Pour que ses sanglots soient authentiques, sûrement ! »

– Le curé : « Après le concert sacré, je vous demanderais de ne pas applaudir trop fort… Mon église est un très vieil édifice… »

– Le père Lindsay : « Pourquoi aimez-vous tant les tournées estivales ? »
– Le chef de chœur : « Parce que la chasse aux moustiques améliore le niveau d'applaudissements. »

« La musique adoucit les morts… »   *Guy Foissy*

Une légende veut que le superactif Theodore Roosevelt ait exigé d'avoir des responsabilités précises une fois arrivé au Ciel. On lui confia alors la mise sur pied (ou en voix) d'une nouvelle chorale céleste. Il fit donc pression, comme à son habitude, pour obtenir 10 000 sopranos, 10 000 altos et 10 000 ténors : « Faites ça vite, ça urge ! », insista-t-il. Saint Pierre lui demanda : « Et les basses ? » Roosevelt lui jeta un œil de travers : « Je chanterai la basse ! »

Edmund Fuller

La secrétaire enquête : « Vous tapez combien de mots à la minute ? »

– La candidate : « Je ne suis pas très rapide… Je dirais… de huit à dix mots. »

– La secrétaire : « Je vois… avec des vents favorables… »

– Le maître : « Élève Socrate, en quelle année êtes-vous né ? »

– Socrate : « En 470 avant Jésus-Christ, maître… »

Claire Martin

– La grand-mère : « Ah ! je ne me sens pas bien du tout ! … Si seulement le bon Dieu pouvait me rappeler à Lui ! »

– L'infirmière distraite : « Comment voulez-vous Le rejoindre ? Vous refusez de prendre vos médicaments ! »

– La veuve éplorée : « Viendrez-vous aux obsèques demain ? »

– Fernand Dugué : « Demain, je ne peux pas… Mais après-demain, sûrement ! »

« Un service commémoratif, c'est un *party* d'adieux pour quelqu'un qui est déjà parti… »

Robert Byrne

– Untel : « On dit que le défunt était un vrai gentleman… »

– Youngman : « C'est vrai… même qu'il me rappelait Saint-Paul… la ville la plus ennuyante en Amérique ! »

HUMOUR JUIF

« Nous autres juifs, comme les olives, nous ne livrons le meilleur de nous-mêmes que lorsqu'on nous écrase. »
In le Talmud

– Le disciple : « Maître, j'ai traversé trois fois le Talmud ! »
– Le rabbin de Kotzk : « Oui, mais est-ce que le Talmud t'a traversé ? »

« Méfiez-vous de l'ignorant qui cite les Écritures. »
Adage juif

« Dieu est comme un serveur dans un restaurant juif : Il a trop de tables… »
Mel Brooks

– Le rabbin : « Schlomo, mon z'ami, il voudrait simplement avoir la main de ta fille ! »
– Schlomo : « Qu'il prenne celle qui fouille toujours dans mon portefeuille ! »

– Ismaël : « J'ai 85 ans…et je ne vais pas bien du tout ! »
– Le rabbin : « Jéhovah va te prêter vie jusqu'à 100 ans ! »
– Ismaël : « Pourquoi Jéhovah me prendrait-il à 100 quand il pourrait m'avoir à 85 ? »
Armand Isnard

– Le rabbin : « Ah ! j'ai beaucoup entendu parler de vous ! »
– Le nouveau venu à la synagogue : « Oui, mais vous ne pouvez rien prouver ! »

– Goebbels : « Je proteste, Satan ! On m'avait dit que l'Enfer était rempli de jolies dames avec de la musique de Wagner… etc. ! »
– Satan : « Propagande, mon ami, propagande ! »

Le comble de l'avarice à Tel-Aviv ? Regarder la messe à la télé et fermer le poste durant la quête…
Armand Isnard

« Les Juifs nous ont donné Jésus-Christ et Karl Marx… et ils se sont payé le luxe de ne suivre ni l'un ni l'autre. »
Peter Ustinov

« Groucho Marx se voit refuser l'accès à la piscine d'un hôtel parce qu'il est juif ! Désignant son fils auprès de lui, il demande : « Lui est à demi juif, est-ce qu'il peut faire trempette jusqu'à la taille ? »

« Si Dieu avait voulu que les femmes juives fassent de l'exercice, il aurait répandu des diamants sur le plancher. »
Joan Rivers

– Le gérant du club de golf : « Quel est votre handicap ? »
– Sammy Davis Jr. : « Je suis juif, noir et borgne… Est-ce que j'ai besoin d'autre chose ? »

– Un client ultraorthodoxe : « Mes excuses… Je vous ai demandé des livres de Sartre sans savoir qu'il était à l'Index… »

– Le libraire compatissant : « Il n'y a pas d'offense… Je peux même vous faire une suggestion qui vous fera économiser des sous… Achetez donc *Allô-Police*… Vous aurez *La Nausée* et *Les Mains sales* pour pas cher ! »

« Kir y est, l'hallali sonne... »

Jean L'Anselme

– La dame patronnesse : « Nous aimerions que vous nous donniez une conférence sur Dieu… »

– Claudel : « Avec projection ? »

– Paul Petit : « Quand vous serez auprès du Père, pensez à moi. »

– Paul Claudel : « Entendu… je ferai un nœud à mon linceul ! »

– Le tailleur : « Ah ! votre nouveau complet vous va à ravir, monseigneur ! Vous n'êtes plus le même homme ! »

– Le prélat : « Vous enverrez la note à l'autre, j'espère… »

– L'itinérant : « Vous dites que vous aimez les Noirs parce que j'en suis un ! »

– La sœur cuisinière : « Ah ! tiens… j'avais même pas remarqué… »

– Le curé : « Avez-vous pris mes messages ? »

– La nouvelle secrétaire : « Non… Est-ce qu'il en manque ? »

PETIT LEXIQUE

GAG à L'ÂME (avoir le) : humeur malicieuse, esprit blagueur des modestes qui craignent de faire des vagues…   *Alain Finkielkraut*

GÉNÉALOGIE : « Non seulement Jésus-Christ était fils de Dieu, mais encore il était d'excellente famille du côté de sa mère. »

Monseigneur de Quélen

GENS ORDINAIRES : « Dieu doit aimer les gens ordinaires, Il en a fait tellement. »   *Abraham Lincoln*

GOUJON : « Pêché véniel… »   *Noctuel*

GOÛTS : « Ne faites pas aux autres ce que vous ne voulez pas qu'on vous fasse à vous. Leurs goûts ne sont peut-être pas les vôtres. »

G.B. Shaw

GRÂCE (coup de) : « Balle de charité. »   *Serge Mirjean*

GRAFFITI : « Si Dieu n'avait pas voulu que nous écrivions sur les murs, il ne nous en aurait jamais donné l'exemple. »   *Anonyme*

GRATTE-CIEL : « On se demande encore comment les ingénieurs ont pu faire pour découvrir que… le Ciel avait des démangeaisons. »

Claude Falardeau

GUERRES : « Il y a tellement de guerres partout dans le monde que je me demande si ce n'est pas un moyen que Dieu a trouvé pour nous enseigner la géographie. »   *Paul Rodriguez*

GUITARE : Instrument accordé plus au budget qu'aux besoins de certaines fabriques…

– Le prédicateur de passage : « Ah ! Monsieur le curé… J'adore l'acoustique de votre église… Hier soir, ma voix emplissait la salle ! »
– Le curé local : « En effet… J'ai même vu des gens sortir pour lui faire de la place ! »

– Le journaliste : « Avez-vous une recette de longévité, mon père ? »

– Le moine centenaire : « Ben… Je n'ai jamais arrêté de respirer… »

– Un admirateur : « Ah ! mon père… j'espère qu'on vous verra encore longtemps ! »

– Le même moine centenaire : « Pourquoi pas ? … Vous m'avez l'air assez bien portant ! »

– L'évêque sceptique : « Qu'est-ce que c'est que cette histoire de miracle qu'on m'a rapportée sur votre compte ? ? ? »

– L'humble franciscain : « Permettez que je vous explique, monseigneur. Je viens d'avoir un gros rhume… J'ai tellement avalé de pénicilline que… à chaque fois que j'éternue, je guéris quelqu'un ! »

– L'archevêque : « Avez-vous lu le mandement que j'ai fait pour le repos de l'âme du Dauphin ? »

– Piron : « Non, monseigneur,… et vous ? »

– Le Frère Untel : « Ça ne vous fait rien que je fume ? »

– Le confrère distrait : « Vous pouvez brûler si ça vous chante ! »

– Le journaliste : « On raconte que là-haut, sur la Lune, vous auriez vu Dieu ? »

– Le cosmonaute : « Oui, c'est vrai… Je l'ai vue : Elle est noire ! »

– L'ambassadeur : « Votre Sainteté, permettez-moi une petite question indiscrète : pourquoi ce VI après Paul ? »

– Paul VI : « Parce que je suis le sixième d'une famille de six et qu'on s'appelait tous Paul ! »

Roland Topor

– L'aumônier des artistes : « On dit que vous êtes un bon vivant… »

– Francis Blanche : « Oui… J'ai toujours été plus intéressé par le vin d'ici que par l'eau de là… »

– Le voisin : « Dis donc… ta femme a tout un rhume ! Elle n'arrêtait pas de tousser pendant la messe… »

– Le mari : « C'est pas un rhume… Elle étrennait un nouveau manteau ! »

Jonathan Swift disait de quelqu'un qui n'avait pas encore fixé son choix sur une religion précise : « Il est *anythingarian*… »

– L'examinateur : « Que feriez-vous pour disperser une foule ? »

– L'aspirant policier : « Je passerais la quête ! »

– Le jeune abbé : « Et puis, as-tu vu beaucoup de ruines à Rome ? »

– Le jeune pèlerin : « Y'en a même une qui m'a invité à souper ! »

– Le moraliste : « Quand l'homme et la femme se marient, ils ne forment plus qu'un… »

– G. Elgozy : « Reste à savoir lequel ! »

– Le conseiller matrimonial : « Quand vous avez un différend, ne vous engueulez pas en présence des enfants, envoyez-les jouer dehors ! »

– Le petit vicaire : « C'est la meilleure façon d'en faire des experts en sports de plein air ! »

🐝

– Le même conseiller : « Dites donc, vous ne deviez pas épouser une veuve ? »

– Le consultant : « Oui, mais... son mari n'est pas encore mort ! »

🐝

– Un autre consultant : « Alors là, mon père, j'ai enfin réagi comme un homme ! »

– Le conseiller : « Vous avez mis ça sur le dos de votre femme ! »

🐝

– Le fils : « Papa, papa... Ça y est, la pluie commence ! »

– Noé : « Ah zut ! ... Je me doutais bien que je n'aurais pas dû laver l'Arche hier ! »

🐝

– Le reporter : « Dites-moi, pourquoi tourner tant de films bibliques ? »

– Cecil B. De Mille : « Vous pensez que je laisserais perdre, sans les exploiter, 2 000 années de publicité ??? »

🐝

– Le prédicateur : « Enfin... enfin.. que pourrais-je ajouter de plus... ? »

– Un paroissien : « ...AMEN ! »

PETIT LEXIQUE

HABITAT : « C'est Dieu qui a fait les poètes et les artistes. Il fallait bien rendre le monde logeable. » *Le marquis de Mirabeau*

HAPPY END : « Si le Christ n'avait pas été crucifié, est-ce que cela aurait augmenté les recettes de Ben-Hur ? » *Peter Ustinov*

HASARD : « Pseudonyme de Dieu quand Il ne veut pas signer son œuvre. » *Attribué à Anatole France et à bien d'autres (?)*

HEBREW : « Une sorte de thé juif… » *Colin Bowles*

HEIGHT WATCHERS : Initiative d'un abbé pour embrigader ceux de ses moines qui avaient tendance à oublier les réalités terre à terre…

HÉRÉTIQUE : « Quelqu'un qui diverge d'opinion avec vous concernant quelque chose que ni l'un ni l'autre ne connaît… » *William Brann*

HÉRODIADE : « … Elle se paya la tête… de Jean Baptiste. » *Claude Falardeau*

HEURE : « Virgule de l'éternité. » *A. Arüss*

HISTOIRE : « Dieu ne peut changer l'Histoire; les historiens, eux, le peuvent. » *Samuel Butler*

HOMMES : « Nous sommes le sel de la Terre. Sans cette pincée insignifiante, le repas serait insipide. » *L'abbé Pierre*

HONNEURS : « Cause de maintes *génieflexions*… » *Noctuel*

HOT-DOGME : « … Le mariage des prêtres, par exemple… » *R.T.*

HUMOUR : « Le huitième don du Saint-Esprit et le plus beau des mystères joyeux. » *Ambroise Lafortune*

HUMOUR NOIR : « Celui qu'on appela le *négro-spirituel*… » *C. Falardeau*

HYPOCRITE : « Quelqu'un qui a un as dans sa manche et qui prétend que c'est Dieu qui l'a mis là… » *Henri Labouchère*

HYPOCRITE : « Quelqu'un qui écrit un livre pour la promotion de l'athéisme et qui prie ensuite pour qu'il devienne un best-seller… »

– L'ado : « C'est bien en 1945 qu'Hitler s'est suicidé ? »
– Le rabbin : « Oui… en recevant sa note de gaz, sans doute ! »

– Un illuminé : « Repentez-vous ! Le Seigneur m'envoie vous annoncer la fin du monde ! »
– Paul Léautaud : « Mais… il ne fallait pas vous déranger pour si peu ! »

– L'avocat : « Vous faites erreur, mon cher saint Pierre, je n'ai pas 207 ans ! »
– Saint Pierre : « Pourtant… si je me fie au nombre d'heures chargées à vos clients… »

Orson Bean

– Le trésorier de la Fabrique : « Comment ? Encore plus d'argent pour l'Œuvre de la Soupe ! Comment expliquez-vous ça ??? »
– La cuisinière : « Vous avez déjà mangé de la soupe à l'alphabet avec une seule lettre dedans ? »

– Une commère : « Tu penses que ce mariage-là va durer ? »
– L'autre : « Ben… ils sont sortis de l'église ensemble, non ? »

Un couple fort gêné s'amène. L'ex-conjoint se décide : « Autant vous le dire franchement : on vient de divorcer ! »
– Le conseiller matrimonial : « Ah ! … je vois ce que c'est… Vous devez avoir plein de choses à vous dire ! Bon… Je vous laisse bavarder ensemble ! »

– Le paroissien : « Vous, l'éternel optimiste, que faites-vous des marées noires ? »

– Le vieux moine : « Ça permettra peut-être aux tortues géantes d'avancer plus vite… »

Laurent Ruquier

– Le vicaire : « Alors, ma petite Adèle, tu as gardé les jumeaux du sacristain… Est-ce que ça s'est bien passé ? »

– Adèle : « Oui et non… »

– Le même vicaire : « Dites-vous une prière avant de manger ? »

– Adèle : « Non… Maman est bonne cuisinière ! »

– Le journaliste : « Vous dites qu'un conflit d'ordre religieux vous opposait ? »

– Woody Allen : « Oui… Elle était athée et j'étais agnostique… On se demandait dans quelle religion ne pas élever nos enfants… »

– Le catéchète : « Et qu'est-ce que fait un bon chrétien à son réveil ? »

– Le petit : « Il le remonte ! »

Jean-Pierre Moulin

– Le président de la fabrique : « Il est si malchanceux que ça ? »

– Albert Duchesne : « LUI ? … Il a déjà attrapé une hernie en organisant une levée de fonds ! »

L'ÉVANGILE SUR PAPIER

« Les vérités de l'Évangile ne font jamais de l'œil. »   *G. Bernanos*

« Je ne me suis pas lavé les mains depuis Ponce Pilate. »   *J. Renard*

« La Bible nous dit d'aimer notre prochain et d'aimer nos ennemis ; probablement parce qu'ils sont généralement les mêmes… »

G.K. Chesterton

« Bible : occasion de prier quand elle est ouverte, de jurer quand elle est fermée. »   *Miguel Zamacoïs*

« Il est difficile de faire passer un chameau à travers le chas d'une aiguille, mais ensuite, pour les chameaux suivants, ça va tout seul ! »

F. Cavanna

« On peut lire dans la deuxième épaule de saint Pitre…euh ! »

« Job a tout enduré jusqu'à ce que ses amis viennent le réconforter ; c'est alors qu'il est devenu impatient. »   *Soren Kierkegaard*

Au temps de Jésus, « un père de famille s'aperçoit que son veau gras a fait une fugue. Il est très malheureux […] il y tenait beaucoup. Toute une saison se passe et un beau soir, voilà que le veau gras revient. Alors, le père est tellement content qu'il fait tuer le fils prodigue. »

Hervé Nègre

« On tuait le veau gras et l'on faisait la noce.
 Et la vache disait : "Ça va bien ! ça va bien !
 Ces gens qui retrouvent leur gosse
 Commencent par tuer le mien !" »   *Tristan Bernard*

« Tuez le veau gras, il vous le rendra… »   *R.T.*

« Toute réforme engendre des victimes. Vous ne pouvez exiger du veau gras qu'il partage l'enthousiasme des anges devant le retour de l'enfant prodigue. »   *Saki*

« J'aurais préféré que David tuât Goliath à coups de harpe. »

Stanislaw J. Lec

« Un Roi mage remet son présent à l'Enfant-Dieu et, tout attendri, s'exclame : "Doux Jésus !" Marie se tourne alors vers Joseph et dit : "Ça sonne bien comme prénom… Si on l'appelait comme ça plutôt que Anatole ?" »   *Jean Peigné*

– Le cinéaste : « J'ai déjà entendu parler de mante religieuse mais jamais de vampire religieux… Qu'est-ce que c'est que ça ? »

– Le scénariste : « C'est ce qui le rend original… Il se fait appeler Mon Saigneur ! »

« Le premier secret de Fatima, c'était la prévision de la Deuxième Guerre mondiale.

« Le deuxième secret, c'était la montée du communisme.

« Le troisième, l'attentat du pape…

« Dites, si chaque fois qu'elle vient, la Vierge, c'est pour nous annoncer des mauvaises nouvelles, c'est pas plus mal qu'elle ne fasse que des apparitions ! »   *Laurent Ruquier*

« Commencez par admirer ce que Dieu vous montre et vous n'aurez plus le temps de chercher ce qu'Il vous cache. »
                                        Alexandre Dumas, fils

Tristan Bernard contait qu'il avait entendu un soir, au théâtre, sa voisine dire à son mari, alors qu'on jouait une pièce sur Jeanne d'Arc : « Non, non, je t'en prie, je ne veux pas que tu me dises comment ça finit ! »
                                        J. Brunets

– Le conseiller matrimonial : « En quittant votre femme, sachez qu'aux yeux de l'Église, vous êtes devenu un déserteur… »

– Le divorcé : « Ah ! si vous la connaissiez, mon père, vous ne m'appelleriez pas déserteur, mais plutôt réfugié ! »

SI, SI, SI...

« Si le Christ revenait parmi les hommes, il aurait fort à faire pour chasser, en plus des vendeurs, les clients du Temple. »   *A. Brie*

« Si Dieu avait voulu que nous voyagions en classe touriste, Il nous aurait sûrement faits plus minces. »   *Martha Zimmerman*

« Si Dieu avait voulu que l'homme vive en Angleterre, Il lui aurait donné des branchies ! »   *David Renwick et Andrew Marshall*

« Si Dieu nous voulait courageux, pourquoi nous a-t-il donné des jambes ? »   *Marvin Kitman*

« Si Dieu a créé le monde en six jours, c'est parce que c'est tout ce qui lui manquait pour avoir droit au chômage... »   *Ghislain Taschereau*

« Si Dieu avait été libéral, nous n'aurions pas eu les *dix commandements*, mais plutôt les *dix suggestions.* »   *M. Bradbury*

« Si Dieu nous avait faits à Son image, il y aurait moins de chirurgiens esthétiques. »   *Philippe Bouvard*

« Si je rencontrais Dieu un jour et qu'Il se mette à éternuer, qu'est-ce que je pourrais bien lui dire au lieu de *God bless you* ! ? »   *Ronnie Shakes*

« Si Dieu n'est pas marié, pourquoi parle-t-on de sa grande Clémence ? »   *Raymond Devos*

« Si Dieu avait voulu que nous votions, il nous aurait fourni des candidats. »   *Jay Leno*

« Si Adam revenait sur terre, tout ce qu'il reconnaîtrait, ce serait les vieilles blagues... »   *Lord Thomas R. Dewar*

« Si tu ne trouves pas Dieu en toi, laisse-le où il se trouve. »   *Joë Bousquet*

« Nul ne peut adorer Dieu ou aimer son prochain s'il a l'estomac creux. »   *Thomas Woodrow Wilson*

« Messies, mais si... »   *Titre d'une chanson de Guy Béart*

« On demandait au cardinal Mathieu, de l'Académie française, pour quelle raison, à l'occasion d'une récente élection académique, il s'était abstenu de voter pour Henri de Régnier.

"Y pensez-vous ? répondit-il. Un romancier qui, dans ses ouvrages, s'est permis de tourner les cardinaux en ridicule !

– Mais, Éminence, observa l'interlocuteur, on assure que naguère vous avez bien donné votre choix à Jean Richepin qui, lui, a écrit *Les Blasphèmes* !

– Oh ! pardon, répliqua le cardinal, avec un fin sourire. Ça n'est pas du tout la même chose ! Richepin a dit du mal du bon Dieu, lequel est assez fort pour se défendre !" »

J. Brunets

– Le conseiller : « En toute conscience, si j'étais vous, je n'épouserais pas ce… monsieur ! Tout le monde dit qu'il est fêlé. »

– La jeune fille : « Il est peut-être fêlé, mais il n'est pas cassé ! »

« Ma vie amoureuse est tellement nulle que je me suis inscrit au championnat du monde du célibat. Je rencontre le pape en demi-finale… »

Guy Bellamy

– Un étudiant : « Professeur, comment appelez-vous un péquiste qui devient libéral ? »

– Jacques Parizeau : « Un traître, voyons, un traître ! »

– Le même étudiant : « Et un libéral qui devient péquiste ? »

– Parizeau : « Un converti, bien sûr ! »

Normand Robidoux

PETIT LEXIQUE

ICÔNES : « Ça c'est du pope-art ! »
Noctuel

IDÉALISTE : « Mangé aux mythes… »
Léo Campion

IDIOTS : « Dieu créa d'abord quelques idiots; question d'entraî-nement; puis il créa les administrations scolaires. »
Mark Twain

IMPÉNITENT : « Mauvais client pour un prêtre. »
Tristan Bernard

IMPRIMATUR : « Autorisation de tirer. »
Robert Lespagnol

INCRÉDULITÉ : « Lorsque l'incrédulité devient une foi, elle est moins raisonnable qu'une religion. »
Les frères Goncourt

INCROYANCE : « De l'incrédulité qui fait des phrases. »
Albert Brie

INDEX : « Ban d'œuvres. »
Jean Bonnot

INDIFFÉRENCE : « L'indifférence morale est la maladie des gens très cultivés. »
H.F. Amiel

INDIGESTION : « L'indigestion est chargée par le bon Dieu de faire la morale aux estomacs. »
Victor Hugo

INGÉNUFLEXION : « Révérence à l'Autorité faite avec une sincérité innocente et naïve. »
Alain Finkielkraut

INQUISITION : « Ils se sont aperçus que les humanistes étaient combustibles, alors ils s'en servaient pour se chauffer… »
Jean-Benoît Nadeau

INTÉGRISME : « Sois mon frère ou je te tue. »
Chamfort

INTÉGRISTES : Ils froncent les surplis à chaque innovation liturgique…

INTUITION : « L'intuition est l'alphabet de Dieu. »
Paulo Coelho

– Le reporter : « On dit que vous êtes né dans un chalet de bois rond ? »

– P.-E. Trudeau : « Non…tout le monde sait que je suis né dans une crèche ! »

«Ce monde a acquis une épaisseur de vulgarité qui donne au mépris de l'homme spirituel la violence d'une passion...»

Baudelaire

– La maman : «Qu'est-ce que ton père a dit quand il est tombé de l'échelle ?»

– Le fiston : «Est-ce que je dois enlever les gros mots ?»

– La maman : «Bien sûr... Alors ?»

– Le fiston : «Ben... il n'a rien dit d'autre !» *J.M. Braude*

– Un garçonnet demande au pasteur : «Si Jésus vivait de notre temps, est-ce qu'il se servirait d'une planche de surf ?»

– Le pasteur confiant : «J'imagine, Le connaissant, qu'Il prendrait les vagues nu-pieds !» *James Gould*

– Le vicaire : «Alors...vous fêtez vos noces de fer blanc ?»

– L'assisté social : «Ouais... Six ans à manger des conserves !»

– Le directeur : «Vous dites que votre hôtel était ennuyant ?»

– Le frère recruteur : «J'ai même appelé la réception pour qu'on m'envoie une deuxième Bible !»

– Le nonce apostolique : «Bonne nouvelle, mon cher père. On va vous décerner l'Ordre de Saint-Pierre Apôtre !»

– Le centenaire : «Je n'ai pas d'ordre à recevoir de personne !»

PROVERBIALES

Proverbe amharique : « Ne blâme pas Dieu d'avoir créé le tigre, mais remercie-Le de ne pas lui avoir donné d'ailes. »

Proverbe arabe : « Dans la nuit noire, sur la pierre noire, une fourmi noire. Dieu la voit. »

Proverbe arabe : « Dieu a façonné la main de l'homme pour faire l'aumône. »

Proverbe chinois : « Si le Ciel vous jette une datte, ouvrez la bouche ! »

Proverbe chinois : « Dans la vie, tiens-toi loin de la cour; à ta mort, tiens-toi loin de l'Enfer. »

Proverbe espagnol : « Chacun pour soi et Dieu pour tous ! »

Proverbe français : « L'abbaye est bien pauvre quand les moines vont aux glands. »

Proverbe français : « Qui est près de l'église est souvent loin de Dieu. »

Proverbe italien : « Celui qui ne sait rien ne doute de rien. »

Proverbe japonais : « Parlez de l'année prochaine, et le démon sourira. »

Proverbe juif : « Si Dieu vivait sur Terre, les gens briseraient ses fenêtres. »

Proverbe libanais : « Un démon poli vaut mieux qu'un saint grossier. »

Proverbe polonais : « Le pire diable est celui qui prie. »

Proverbe portugais : « Dieu écrit droit avec des lignes courbes. »

Proverbe russe : « Personne ne se noiera s'il s'efforce de prier Dieu et s'il sait nager… »

Proverbe turc : « À l'oiseau aveugle, Dieu fait le nid. »

Proverbe turc : « Faites-vous rare, on vous aimera. »

Proverbe yiddish : « Dieu va aider ! Si seulement Il pouvait aider jusqu'à ce qu'Il aide… »

Proverbe yiddish : « Dieu personnellement n'est pas riche, il prend aux uns et distribue aux autres. »

– Le moine-guide : « Cette église abbatiale date de 400 ans ! Pas une pierre, pas une tuile n'ont été remplacées ! »
– Un visiteur : « Tiens ! Elle a le même propriétaire que moi ! »

– Le prédicateur : « J'ai appris l'éloquence sacrée à la façon de Démosthène ! Oui, en pratiquant avec des cailloux dans la bouche ! »
– Un paroissien rebelle : « Dommage qu'ils n'aient pas connu le ciment à cette époque ! »

« J'aurais admis plus facilement le concept du miracle si Jonas avait avalé la baleine ! »

Thomas Paine

« C'est peut-être un arc-boutant de l'Église, mais sûrement pas l'un de ses piliers : on ne l'y voit jamais à l'intérieur ! »

Lord Eldon

D'un pasteur anglais raffiné qui parlait avec un très fort accent d'Oxford, Oscar Levant a dit : « Il parle avec un monocle dans la gorge ! »

Cassell

« Quand les hommes cessent de croire en Dieu, ils ne croient plus en rien, ils croient en n'importe quoi ! »

G.K. Chesterton

« Il y a des ministres du culte qui feraient de bons martyrs : ils sont tellement secs qu'ils brûleraient bien ! »

C.H. Spurgeon

– Le théologien : « Je me demande ce qu'Adam a bien pu offrir à Dieu le jour de la fête des pères… »
– Son disciple : « Oui… à Quelqu'un qui EST Tout ! »

❋

– Anna de Noailles : « Ah, monsieur l'abbé, Dieu vous parle, à vous. À moi, Il ne dit rien ! »
– L'abbé Munier : « C'est parce que vous ne Lui laissez pas placer un mot ! »

Jean Nohain et Jean Lefèvre

❋

« À l'origine, les Africains possédaient la terre et les Anglais avaient la Bible. C'est alors que des missionnaires vinrent en Afrique et persuadèrent les Africains de fermer les yeux et de joindre leurs mains pour prier. Or, quand ils rouvrirent les yeux, les Anglais avaient la terre et les Africains la Bible… »

Jomo Kenyatta

❋

« Dieu a sagement agi en plaçant la naissance avant la mort ; sans cela, que saurait-on de la mort ? » *Alphonse Allais*

❋

« Comme je te le dis… M. le curé n'enterre plus le samedi, ni le dimanche, bien sûr. C'est à toi de t'arranger pour claquer dans les jours ouvrables. » *P. Pelot*

❋

– Une dame de bonne volonté : « Mon père, si j'allais tuer Hitler, serait-ce un péché ? »
– Le père Charles : « Non, si vous réussissez ; oui, si vous le manquez. »

Jean Hugo

❋

« À force de faire le sceptique, je suis devenu sceptique sur bien des points et, notamment, le scepticisme. »

Alfred Capus

PETIT LEXIQUE

JEANNE d'ARC : « 52 kilos d'héroïne pure ! »
Sauvy

JEANNE d'ARC : « La femme de Noé… »
Un enfant

JEAN-PAUL II : « Un des rares Polonais à avoir trouvé du travail en Italie. »
José Artur

JÉSUITES : « Ils en savent toujours une part de plus que le Diable. »
U. Eco

JÉSUS : « Buffalo Bible… »
San-Antonio

JÉSUS : « … Sa sortie de cène force l'admiration de tous. »
Bruno Masure

JÉSUS-CHRIST : « Robinson crucifié… »
Patrick Coppens

JEÛNE : « Phase de carême… »
Max Favalelli

JEUNESSE : « Une religion dont il faut toujours finir par se convertir. »
André Malraux

JIU-JITSU : « Présenter l'autre joue, c'est une espèce de jiu-jitsu moral. »
Gerald Stanley Lee

JONAS : « L'homme qui passa trois jours dans l'estomac d'une baleine. C'est du moins ce qu'il dit à sa femme par la suite… »
M. Berle

JOURNAL : « La prière du matin de l'homme moderne. »
Hegel

JOURNAUX : « Les journaux sont à la vie ce que les diseuses de bonne aventure sont à la métaphysique. »
Karl Kraus

KERMESSE BASSE : « Fête populaire sans prétention… »

KLAXONNEZ ! : « Honk if you are Jesus ! »
Autocollant de pare-chocs

Ne cherchez pas cet instrument dans les sacristies, c'est une fausse invention signée Gaston de Pawlowski : le *bénédisiphon* ! Un sacre de moins (ou de plus…) pour certains Québécois…

※

– « Dieu condamne la violence… »
– « Dieu n'est pas marié, monsieur l'abbé ! » *Jacques Deval*

※

Jacques Prévert n'était pas particulièrement croyant, bien au contraire. Il a tout de même été à l'origine de quelques trouvailles sacrées intéressantes, comme : « Une petite sœur du Bengale et un tigre de saint-Vincent-de-Paul » et, ailleurs : « Vox populi vexe Dei ! »

※

« Coïncidence phonétique ? Le paradis est toujours promis à ceux qui n'ont pas un radis… » *Jacques Sternberg*

※

« Jérusalem, seule ville au monde où s'adresser à Dieu, c'est parler à un mur. » *Roland Bacri*

※

C'est ce même Algérois, Bacri, qui a dit : « Excès au mot, voilà l'homme. »

※

« Have you heard the one about the dyslexic atheist who did not believe in Dog ? » *Time Magazine*

※

« Le mariage est le seul jeu de hasard toléré par le clergé… » *Emily G. Murphy*

※

Titre d'un dessin de Chaval (Yvan Le Louarn) : *Léonard de Vinci faisant une cène à sa mère !*

« Comme son cirque périclitait, il avait imaginé un numéro inédit à grand spectacle : livrer des lions à des chrétiens affamés. »

Jacques Sternberg

« N'acceptez jamais de références signées par un membre du clergé. Ils veulent toujours donner une deuxième chance aux gens ! »

Lady Selborne

« Le paradis est plein d'imbéciles qui croient qu'il existe. »

Georges Wolinski

Il n'y a pas de limites au racisme. L'écrivain Jean-Luc Benoziglio est un Suisse un peu Italien et sépharade. Il s'en est trouvé pour le traiter de « Sale Juisse » !

Encyclopédie de l'humour français

« Ni dieu, ni maître, ni slogan ! »

André Igual

Le programme du parti communiste : « L'Évangile selon saint Marx ».

L. Campion

« La mort est si ancienne qu'on lui parle en latin. »

Giraudoux

« Dieu, quand il a pétri la terre, a fait une grosse boulette. »

Alexandre Breffort

– Le curé d'avant-garde : « Quelle impression ça vous ferait d'être sous les ordres d'une femme ? »
– Un paroissien : « Je me sentirais comme chez moi ! »

COMME DIT LE PROVERBE

Proverbe africain : « Le fleuve s'est vanté, Dieu y a mis le gué. »

Proverbe allemand : « Le linceul n'a pas de poche. »

Proverbe arabe : « Fais le bien et jette-le à la mer. Si les poissons l'ignorent, Dieu le saura. »

Proverbe auvergnat : « Ce que Dieu trempe, Dieu le sèche. »

Proverbe chinois : « Le sage montre le ciel, l'imbécile regarde le doigt. »

Proverbe chinois : « Mieux vaut tisser un filet que prier pour avoir du poisson. »

Proverbe corse : « Le chrétien pardonne, le couillon oublie. »

Proverbe géorgien : « L'homme proposait, Dieu riait. »

Proverbe grec : « Le pope bénit d'abord sa barbe. »

Proverbe guadeloupéen : « Le crayon de Dieu n'a pas de gomme. »

Proverbe indien : « La voix du peuple est le tambour de Dieu. »

Proverbe japonais : « Même la prière d'une fourmi peut se rendre au Ciel. »

Proverbe juif : « Dieu ne pouvait être partout, alors il a créé la mère. »

Proverbe kurde : « La sainteté ne vient ni du turban, ni de la barbe, mais du cœur. »

Proverbe persan : « La précipitation vient du Diable; Dieu travaille lentement. »

Proverbe polonais : « Le pire diable est celui qui prie. »

Proverbe polonais : « Si tu vas en guerre, prie une fois; si tu vas en mer, prie deux fois; si tu vas en mariage, prie trois fois. »

Proverbe turc : « Si la prière du chien était exaucée, il pleuvrait des os. »

PETIT LEXIQUE

LAC : « Occasion prochaine de pêcher… »
René Bergeron

LAFORTUNE, Ambroise : « Aumônier des audacieux. »
R.T.

LAMPIONS : « Le seul feu sacré de certains Québécois. »
R.T.

LANGUES : « À la tour de Babel, toutes les langues étaient officielles : de là, la confusion. »
Félix Leclerc

LAPSUS : « The Lord is a shoving leopard » au lieu de « The Lord is a loving shepherd » !
Révérend William Spooner d'Oxford

LATIN : « Le langage du marbre… »
Browning

LIMBO : « Place where arms and legs go when they die… »
Ray Hand

LINCEUL : « Costume de voyage. »
Jean Bonot

LIT : « Objet de pieuté. »
Serge Mirjean

LITANIE : « Tas de saints doux… »
Bruno Masure

LITTÉRATURE : « C'est une religion, elle a peu de fidèles; elle n'a que des prêtres. »
J. Chardonne

LOIS : « Les seules lois qui me paraissent d'utilité publique, ce sont les *lois-sirs* et, lors de chaque Épiphanie, les si justes et démocratiques *lois-mages*. »
Jean Yanne

LONDRES : « … ressemble à l'Enfer, c'est plein de gens et de fumée ! »
Percy B. Shelley

LOURDES : « Mon père est allé à Lourdes. Il ne lui reste plus que Lisieux pour pleurer. »
Coluche

LUMIÈRE : « C'est l'ombre de Dieu. »
(Inscription sur certains cadrans solaires…)

« Dieu est partout, comme le Démon, à cette différence près que l'invisible présence du second n'a pas la discrétion du premier. »
Albert Brie

À une religieuse sympathique qui le soignait à l'hôpital, le dramaturge irlandais Brendan Behan exprima sa reconnaissance à sa façon bien à lui : « Merci beaucoup, ma sœur. Je vous souhaite de devenir la mère d'un futur évêque ! »

Est-ce humiliant de considérer la prière comme une Déclaration de Dépendance ?

L.L. Levinson

Un ministre presbytérien raconte avoir reçu une vraie leçon d'un vieil itinérant qui disait : « Au fil des années, on m'a appelé un pauvre, un sans-travail, une personne dans le besoin, un désavantagé, un sous-privilégié ». Il concluait en disant : « Ça ne m'a jamais donné plus de sous, mais ç'a drôlement amélioré mon vocabulaire ! »

Steve Allen

« Si Jésus-Christ revenait sur terre de nos jours (XIXe siècle), on ne le crucifierait même pas. On l'inviterait à manger, on écouterait ce qu'il a à dire et on se moquerait de lui dans son dos. »

Thomas Carlyle

Une boutade de Mark Twain : « J'aimerais aller au Ciel pour le climat, l'ambiance, et en Enfer pour la compagnie… »

« Il n'y a qu'à voir la tête de ceux à qui Dieu a accordé de l'argent pour savoir le cas qu'Il fait des richesses. »

Jonathan Swift

– Ruby : « Ma mère disait toujours que si Dieu avait voulu que les hommes fument, Il leur aurait fait une cheminée dans la tête ! »

– Ormonroyd : « Tu diras à ta mère de ma part que si Dieu avait voulu que les hommes portent des vêtements, Il leur aurait fait des boutonnières en arrière du cou ! »

J.B. Priestley

Saint Pierre reçoit un journaliste à l'entrée du Ciel : « C'est dommage, le genre de vie que vous avez menée vous ferme l'accès du Paradis… Hélas ! l'Enfer vous attend ! »

– Le journaliste : « Bon… Dans ce cas-là, est-ce que je pourrais au moins obtenir d'aller dans le secteur russe ? Au moins, je serai sûr que le chauffage ne marchera pas ! »

« Il y a un détail consolant : le taux de divorce chez les prêtres est toujours très bas… »

Milton Berle

« Dieu n'est pas un imbécile et je ne suis pas un saint. »

J. Maritain

« La nourriture a été un facteur important du christianisme. Qu'aurait été le miracle de la multiplication des pains sans cela ? Et je ne parle pas de la dernière Cène… »

Fran Lebowitz

« Que dire d'une société qui prétend que Dieu est mort et qu'Elvis est vivant ? »

Irv Kupcinet

Graffiti : « Dieu est mort ! Nietzsche. » Un loustic avait rajouté dessous : « Nietzsche est mort ! Dieu. »

LATINISMES

« Latin : seule langue que tout un chacun peut perdre sans l'avoir jamais apprise. »   *Noctuel*

———

« Il faut d'abord savoir le latin. Ensuite, il faut l'oublier. »   *Montesquieu*

———

« La mort est si ancienne qu'on lui parle latin. »   *Jean Giraudoux*

———

« Je serais curieux de savoir si certains animaux, lorsqu'ils nous regardent, se disent : *Ecce homo* ! »   *Stanislaw J. Lec*

———

« Excès aux mots : voici le poète. »   *Jean L'Anselme*

———

« In vitraux, veritas… »   *Philippe Mignaval*

———

« *Itemissaester* : mettre fin aux cérémonies… »   *Raymond Queneau*

———

« Les Romains n'auraient jamais conquis le monde s'ils avaient d'abord été obligés d'apprendre le latin… »   *Heinrich Heine*

———

« Mea culpa » : entêtement de robinet…

———

« Motus Vivaldi » : « Chut ! » (en vieux vénitien)   *Pierre Desproges*

———

« Opus Dei » : ô Pouce de Dieu…

———

« Ô ratés fratres ! »   *Jean Paré*

———

« Omnes vulnerant, ultima necat. » (« Toutes (les heures) blessent, la dernière tue. »)   *Cadran solaire sur l'église d'Urrugne*

———

« Sic transit gloria lundi… »

———

« Un visage d'*amen*… »   *Georg Lichtenberg*

———

« Vade retro falbalas ! »   *Laurent Ruquier*

———

« *Veni, vidi*, Visa… » : « Je suis venu, j'ai vu, j'ai acheté… »   *J. Barrett*

———

« Vox populi, vox Dei ex machina. »   *S.J. Lec*

———

« *Vox populi*… c'est la voix de Dieu », rappelle John Wesley à sa sœur. Celle-ci réplique : « Oui… C'est la même qui a crié "Crucifiez-le", non ? »

C'est l'ado qui revient chez lui avec un œil au beurre noir. Il explique à son grand frère qu'il s'est battu avec Jimmy à cause d'une mauvaise blague qu'il avait faite contre le pape. Son frère lui demande : « Tu savais pas que Jimmy était catholique ? » L'ado de répondre : « Oui, mais… je savais pas que le pape l'était ! »

Milton Berle

– L'agnostique : « Vous qui êtes moderne, mon père, êtes-vous POUR le sexe avant le mariage ? »
– Le jésuite futé : « Pas si ça retarde la cérémonie… ! »

« Dieu nous visite souvent, mais la plupart du temps, nous ne sommes pas à la maison… »

Joseph Roux

Dieu, ayant complété la rédaction des dix commandements, consulte des sages pour connaître leur réaction. Ainsi, Il s'adresse à un marchand prospère qui réagit en commerçant : « Et ça nous coûtera combien ? » Dieu répond : « C'est gratuit ! » Et le marchand de conclure : « Bon… mettez m'en cinq ! »

En Alabama, une Noire entre dans un temple protestant réservé aux Blancs. Le pasteur arrive en courant et lui dit : « C'est interdit aux Noirs ici !
– Mais, monsieur le pasteur, je suis la nouvelle femme de ménage. Vous savez bien qu'ici, ce sont les Noirs qui s'occupent du nettoyage, alors je viens le faire.
– Oh ! On dit ça et puis, quand personne ne vous regarde, on fait une petite prière… »

Jean Peigné

« Je préfère une petite bénédiction égrenée rapidement sur la tombe à un long service qui, dans une église pas chauffée, prépare fatalement d'autres enterrements. »

Philippe Bouvard

« Il ne suffit pas de se déclarer croyant, il faut être croyable ! »

Abbé Pierre

« Dieu n'a pas mal réussi la nature, mais il a raté l'homme. »

J. Renard

« Aussi bien était-il libre-penseur ; ce qui, peut-être, dispense de beaucoup penser. »

Jean-Paul Toulet

– Un courtisan : « Votre Sainteté, je vous souhaite de vivre 100 ans ! »
– Léon XIII : « Mon fils, ne fixons pas de limites à la bonté de Dieu ! »

« La seule chose que le Bon Dieu ait distribuée équitablement, c'est l'intelligence. Chacun est assez certain d'en avoir reçu plus que n'importe quel autre. »

Staline s'est moqué du Pape Pie XI qui tentait de désamorcer un conflit international. L'ancien séminariste aurait dit : « Le Pape, de combien de divisions dispose-t-il ? » Pie XI, mis au courant de cette boutade, crut bon de rétorquer : « Dites à mon fils Joseph que mes divisions, il les rencontrera au Ciel. »
À suivre…

« Au ciel, un ange est un individu comme les autres. »   *G.B. Shaw*

———❖———

« Un ange passe… et le silence n'en revient pas ! »   *Pierre Dudan*

———❖———

« Quand un ange passe, surtout ne lui faites pas de croche-pied; laissez-le passer, c'est bon aussi le silence… »   *Jean-Louis Fournier*

———❖———

« Si tu gouvernes le requin en toi, tu seras un ange, car tous les anges, c'est rien de plus que des requins bien gouvernés. »   *H. Melville*

———❖———

– La contribuable : « Je ne voterais pas pour vous, même si vous étiez l'archange Gabriel ! »
– Sir Robert Menzies : « Si j'étais l'archange Gabriel, madame, vous ne seriez pas dans mon comté ! »   *Cassell*

———❖———

« Les anges ont aussi leurs diables, et les diables leurs anges. »   *Stanislaw J. Lec*

———❖———

« Chœur angélique : Trente-six chants d'ailes… »   *Roland Bacri*

———❖———

« Nous abritons un ange que nous choquons sans cesse. Nous devons être les gardiens de cet ange. »   *Jean Cocteau*

———❖———

« C'est ainsi que se moquent de nous nos cousins l'ange et le singe. »   *Georg C. Lichtenberg*

———❖———

« Si les anges volent, c'est parce qu'ils se prennent eux-mêmes à la légère. »   *Gilbert Keith Chesterton*

———❖———

« Quand les anges veulent faire plaisir à Dieu, ils jouent du Bach. Quand ils veulent se faire plaisir à eux, ils jouent du Mozart et Dieu écoute par le trou de la serrure. »   *David McDonald Broshar*

———❖———

– Un critique : « Que pensez-vous de la musique de Chabrier ? »
– L.-P. Fargue : « C'est de la musique d'ange… pompette ! »

———❖———

« Music is well said to be the speech of angels. »   *Carlyle*

———❖———

– Une dame outrée : « Un gentleman ne fume pas en présence des dames ! »
– Brahms : « Madame, là où il y a des anges, il doit y avoir aussi des nuages… »

———❖———

« Si l'homme est juste à un niveau plus bas que les anges, alors c'est que les anges auraient besoin d'être réformés ! »   *Mary Wilson Little*

« Ce huitième jour, celui que le Créateur nous a confié pour nous consoler des sept autres, pour le peupler à notre guise de tous les possibles, pour ajouter à la création inachevée du monde. »

Antonine Maillet

🐓

« Les hommes ne sont même pas parvenus à inventer un huitième péché capital ! »

Théophile Gautier

🐓

Onzième commandement : « Tu ne convoleras point les mots d'autrui. »

Stanislaw Jerzy Lec

🐓

Un jeune Juif s'est inscrit à l'université Notre-Dame pour jouer au football. De retour chez lui, à l'été, il rencontre le rabbin de sa petite ville qui lui demande : « Au moins, j'espère qu'ils n'ont pas tenté de te convertir ! » Le jeune répond : « Jamais de la vie, mon père ! »

Milton Berle

🐓

« La cocaïne, c'est le moyen choisi par Dieu pour vous dire que vous faites trop d'argent… »

Robin Williams

🐓

« C'est sûr que Dieu aide les Irlandais. Mais… s'il pleuvait de la soupe, ils sortiraient avec leurs fourchettes ! »

Brendan Behan

🐓

« Deux Juifs prient devant le mur des Lamentations. Le premier dit : "Seigneur, fais-moi gagner quarante millions à la Loto !" Le second dit : "Seigneur, procure-moi cent francs pour pouvoir manger !" Le premier sort alors son portefeuille et dit à l'autre : "Tenez, voilà vos cent francs. Maintenant, taisez-vous et laissez Dieu se concentrer…" »

Jean Peigné

PETIT LEXIQUE

MAIN de DIEU : « La main de Dieu nous paraît souvent rude parce qu'Il traite ses amis débiles avec un gant de crin. » *Pierre Reverdy*

MAL : « Peut-être le Mal, dans l'Univers, n'est-il qu'un reproche que Dieu s'adresse à Lui-même. » *Simon Vestdijk*

MALADIES : « Les essayages de la Mort… » *Jules Renard*

MARCHEURS de la PAIX : « Des Gandhi de grands chemins… » *Albert Brie*

MATHUSALEM : « Le plus vieil homme consigné par la Bible; il mourut à l'âge de 969 ans, l'année du Déluge, ce qui s'avéra excellent pour lui, car il ne savait pas nager. » *Leonard L. Levinson*

MÉPHISTO : « Diable d'homme condamné pour Faust et usage de Faust. » *Noctuel*

MESSE : « C'est Dieu sur rendez-vous… » *Malcolm de Chazal*

MESSE NOIRE : « Service athée. » *Serge Mirjean*

MINARET : « Monument aux Maures. » *Serge Mirjean*

MIRACLE : « On appelle miracle quand Dieu bat ses records. » *Giraudoux*

MISSIONNAIRE : « C'est un type qui apprend aux cannibales à dire le bénédicité avant de le manger. » *Fred Allen*

MONASTÈRE : « Foyer pour pères célibataires. » *P.H. Collins*

MONDAINS : « Fats bergers, assemblons-nous ! »

MONTMARTRE : « Mont de Piété. » *R. Scipion*

MORALISTE : « Guide-âmes. » *Jean Bonot*

MORTIFICATIONS : « *Self*-sévices. » *C. Robert*

MOTS : « Les mots se laissent dire : le mot feu ne brûle pas; le mot liberté ne libère pas et le mot athée ne supprime pas Dieu. » *Jean-Paul Desbiens*

MUEZZIN : « Allah bonheur ! » *Bruno Masure*

MUSIQUE : « Le bruit que fait Dieu en respirant… » *Dicton*

MYSTIQUES : « …ces fous admirables qui se coupent les pieds pour se faire pousser des ailes. » *Marie Noël*

Un aumônier accourt auprès d'un blessé grave et lui demande : « Mon fils, croyez-vous en Dieu ? » Et le soldat à demi assommé lui réplique : « Vous feriez mieux de vous occuper de ma jambe plutôt que de me poser des devinettes... »

« Le superflu ? C'est comme une Bible au Ritz ! »

F. Scott Fitzgerald

« Dis-moi, Antoine, où est la maison de Dieu ? » Et le petit répond : « C'est dans la salle de bain ! » Étonné, le vicaire lui demande : « Explique-moi ta réponse ! » Et le petit Antoine de s'exécuter : « Chaque matin, quand ma mère fait sa toilette, mon père frappe à la porte et dit : "Seigneur ! T'es encore là ?"... »

Jacob M. Braude

Au Paradis, échange impromptu entre un rabbin et Dieu. Le rabbin demande : « Seigneur, pour Vous, qu'est-ce que 10 000 ans ? » Dieu lui répond évasivement : « Deux minutes... » Le rabbin continue : « Et, pour Vous, qu'est-ce que 10 000 $? » Tout aussi nébuleusement, Dieu répond : « Bof !... un sou... » Alors, finement, le rabbin demande : « Alors Seigneur, auriez-vous l'obligeance de me prêter un sou ? » Et Dieu répond majestueusement : « Attendez deux minutes, mon fils ! »

Un pilote d'essai appelle la tour de contrôle tout paniqué : « J'ai inspecté tous mes cadrans, mes manettes... Rien ne bouge... Mon siège éjectable n'a pas l'air de vouloir fonctionner : qu'est-ce que je fais ? » Une voix douce se fait entendre : « Répétez après moi : Notre Père qui êtes aux cieux... ! »

PARADIS

« À partir du jour où Dieu a mis l'homme en présence de la femme, le Paradis est devenu un enfer. »
Henri Jeanson

« Quand l'homme essaie d'imaginer le Paradis sur Terre, ça fait tout de suite un Enfer très convenable. »
Paul Claudel

« Adam et Ève se promenaient dans un jardin zoologique qui avait reçu le nom d'Éden, probablement pour attirer le monde. Il n'y venait d'ailleurs personne, et il fallait avoir un certain estomac pour avoir installé un jardin zoologique dans un pays où il n'y avait que deux habitants. »
Tristan Bernard

« Nous sommes ici-bas pour rire. Nous ne le pourrons plus au Purgatoire ou en Enfer. Et, au Paradis, ce ne serait pas convenable. »
Jules Renard

« La forêt, c'est encore un peu du Paradis perdu. Dieu n'a pas voulu que le premier Jardin fût effacé par le premier péché. » *Marcel Aymé*

« Si on ne peut pas rire au Paradis, je ne tiens pas à y aller. » *Luther*

« On aurait dû mettre l'oisiveté continuelle parmi les peines de l'Enfer; il me semble, au contraire, qu'on l'a mise parmi les joies du Paradis, »
Montesquieu

« Que peut-on bien boire là-haut, d'où il ne tombe que de l'eau ? »
Nicolas Faret

« La mort d'un homme de talent m'attriste toujours, puisque le monde en a plus besoin que le Ciel. »
Georg Lichtenberg

« La route du Paradis, c'est le paradis. » *(Proverbe espagnol)*

« *Si l'Enfer c'est les autres*, je serai seul au Paradis ! » *Yvan Audouard*

– Un colonialiste : « Tu sais que les portes du Ciel ont été faites pour les Blancs ? »
– Le boy : « Et qui c'est qui va vous les ouvrir missié ? »

« Ce n'est pas beau de montrer du doigt, même pour se désigner comme Messie. »
Stanislaw Jerzy Lec

Un Juif s'arrête devant la vitrine d'un charcutier qui présente tout un étalage de cochonnailles. Il salive malgré les interdictions claires de ses coutumes religieuses (ou à cause d'elles). Il vient tout près de succomber et d'entrer dans le commerce lorsqu'un éclair suivi d'un coup de tonnerre le fige sur place. Remis de ses émotions, il murmure, yeux baissés : « Et alors ? Il n'y a pas de mal à vouloir se renseigner ! »

Popeck

– Le futur beau-père : « Alors, c'est qu'il veut devenir mon gendre ? »
– Le rabbin : « Non... il veut juste marier ta fille ! »

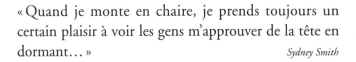

« Quand je monte en chaire, je prends toujours un certain plaisir à voir les gens m'approuver de la tête en dormant... »

Sydney Smith

– Le curé en colère : « Dites donc, qu'est-ce qui se passe ? Tout le monde se plaint sur votre compte : vous sonnez à n'importe quelle heure, vous n'enterrez plus les gens qu'à moitié... »
– Le sacristain : « Ah ! là, je vous arrête, monsieur le curé. Dites-moi donc qui est venu se plaindre ? »

Hervé Nègre

C'est un ancien épicier qui s'est fait prêtre sur le tard. Or, au confessionnal, chaque fois qu'un pénitent termine sa liste de péchés, il ajoute avec un grand sourire : « Autre chose avec ça ? »

Hervé Nègre

« Les chemins de Dieu sont mystérieux… L'autre soir, au resto où je travaille, je m'approche d'une table que des clients venaient tout juste de quitter : tout ce qui restait, c'était des miettes, de la vaisselle à laver et une brochure intitulée *Jesus Saves*. Je veux bien que Jésus économise, mais pas en ne me laissant aucun pourboire ! »

Brock Cohen

— Une religieuse : « Je suis la supérieure du Saint-Esprit… »
— Jean XXIII : « Quelle chance ! Moi, je ne suis que le vicaire du Christ ! »

Le fiston du pasteur protestant regarde son père en train de fignoler laborieusement le texte de son homélie du dimanche. Il lui demande : « Dis donc, papa, je croyais que Dieu te disait quoi dire pour chacun de tes sermons… » Le pasteur répond : « Il le fait, Il le fait… » Et le petit futé de conclure : « Comment ça se fait que tu en enlèves tant alors ? »

« Les hommes vraiment pieux, on devrait en faire des clôtures ! »

Jacques Sternberg

« J.C., ce sont des initiales à avoir des ennuis avec les juges. »

Laurent Ruquier

« Le Seigneur a dit : "Tu aimeras ton prochain comme toi-même." Personnellement, je préfère moi-même, mais je ne ferai pas entrer mes opinions personnelles dans ce débat. »

P. Desproges

«Adam et Ève étaient probablement communistes. Ils n'avaient pas de vêtements, pas de chaussures, pas de toit au-dessus de leurs têtes, ils mangeaient seulement des pommes et se croyaient au paradis...» *Milton Berle*

Du même : «Dieu fit d'abord Adam, puis il se reposa. Ensuite, il fit Ève et personne plus jamais ne se reposa...»

Question d'avoir le dernier mot, un ami du pasteur Sydney Smith lui dit : «Si j'avais un fils un peu idiot, j'en ferais un curé !» Et Smith lui rétorqua brillamment : «Votre père n'avait pas la même opinion que vous !»

«La devise des intégristes, est-ce que c'est : Dis-moi qui tu fréquentes, je te dirai qui tuer ?» *Jacques Beaudry*

«Je ne vois pas assez Dieu pour l'aimer au-dessus de toutes choses et vois beaucoup trop mon prochain pour l'aimer comme moi-même.» *Marquise de Créqui*

«L'homme propose, Dieu dispose et la femme s'interpose...» *Pierre Doris*

«Les choses sont très bien réparties dans la nature. Dieu a mis le pommier en Normandie parce qu'Il sait que c'est là-bas qu'on boit du cidre...» *Coluche*

BOUDDHIEUSERIES

« L'employé d'un fonctionnaire intègre est maigre ; le prieur d'une divinité efficace est gras. »

« Parler discrètement, c'est s'envoler sans avoir besoin d'ailes. »

« Il est des situations dont on ne peut s'échapper, même avec des ailes. »

« Peut-on emprunter des fleurs à Bouddha pour les lui offrir ? »

« Ce qu'on donne au bonze, Bouddha nous le rend. »

« On fait des offrandes pour remercier Bouddha, pas le moine. »

« Ce que le Ciel fait croître, le Ciel le nourrit. »

« La cloche est à l'intérieur du monastère, mais le son va à l'extérieur. »

« Le sous-entendu est un bonze de 12 pieds de haut dont on ne peut toucher le crâne. »

Bouddha était-il marié ? Le cas échéant, son épouse lui aurait sûrement reproché : « Vas-tu rester assis comme ça toute la journée ? »

« Le bonze n'est jamais responsable de rien : son côté bonze-Pilate. Son hymne : "Tiens, voilà du bouddha !" »   *Jean-François Kahn*

L'aumônier des Enfants de Marie : « Soyez tranquilles, je ne vais pas vous ennuyer avec un long discours… Je le ferai avec un petit ! »

« Je comprends que le clergé soit partisan du repos dominical : c'est le dimanche que ces messieurs travaillent le plus ! »

Alphonse Allais

– Ève : « Seigneur, je m'ennuie dans votre beau Paradis terrestre… toujours des pommes à manger… toujours le serpent à écouter… »

– Dieu : « D'accord… Je vais créer l'homme pour toi. Il te protégera et prendra soin de toi… Mais… il sera querelleur, macho et aura un complexe de supériorité vis-à-vis de toi… Alors, promets-moi une chose : ne lui dis jamais que je t'ai créée la première ! »

Jean Peigné

« On vient de créer Vatican Airlines. Toutes les instructions sont données en latin pour que les catholiques soient les premiers à en profiter ! »

Milton Berle

« Un missionnaire qui a été mangé doit-il considérer qu'il a rempli sa mission ? »

Stanislaw Jerzy Lec

« Le Diable et saint Pierre se querellaient comme des humains à propos d'une clôture qui devait séparer leur territoire. Le ton montait et ils en vinrent presque aux coups lorsque le Portier du Ciel déclara : "Bon… tu ne veux rien comprendre, je vais te faire un procès !" Et Satan de rétorquer cyniquement : "Et tes avocats, tu les prendras où, penses-tu ?" »

George Jessel

« Méfiez-vous des gens qui ne voient le jour que par une fenêtre de drap (le capuchon du moine)… »

– Une passagère : « Monsieur l'abbé, votre cigare me dérange… »

– L'abbé : « C'est rien ça… moi, il est en train de me tuer ! »

NAISSANCE : « Dieu a agi sagement en plaçant la naissance avant la mort; sans cela, que saurait-on de la vie ? »
Alphonse Allais

NATURE : « Quand on observe la nature, on y découvre les plaisanteries d'une ironie supérieure. »
H. de Balzac

NATURISME : « Ce que je sais de la science de Dieu et des Écritures, je l'ai appris dans les bois, dans les champs. Je n'ai pas d'autres maîtres que les hêtres et les chênes. »
Saint Bernard

NAZISME : « La danse de Saint-Guy du vingtième siècle. »
H. Rauschning

NÉANT : « Le néant se nie s'il se nomme… »
Maurice Chapelan

NEVEUX : « Ce que le diable donne à l'homme à qui Dieu n'a pas donné d'enfant. »
Proverbe espagnol

NIHILISME : « Doctrine à tout casser »
B. Duprez

NOÉ : « L'homme qui aimait lire entre les vignes… »

NOÉ : « Si Noé avait vraiment été sage, il aurait écrasé les deux mouches. »
Helen Castle

NONCE : « Tous ses chemins partent de Rome. »
Robert Scipion

« Un rabbin a invité un curé à dîner. […] Il s'informe : "Et mon petit vin d'Israël ?" Le curé répond : "Là, si vous le permettez, je me demande s'il n'était pas baptisé…" Et le rabbin de répliquer : "Et alors ? Est-ce qu'il est moins bon parce qu'il est baptisé ?" »
Popeck

« Selon un nouveau règlement, on ne doit plus dire Dieu soit loué ! en Union Soviétique. On doit dire Brejnev ou Poutine soit loué ! Quand ils mourront seulement on pourra dire Dieu soit loué ! »

« Tu ne tueras point… Tu ne commettras pas l'adultère… Tu ne mangeras pas de porc… Est-ce vraiment une parole de Dieu ou si c'est une manœuvre de porc futé pour détourner l'attention de tout le monde ? »

Jon Stewart

Lors du premier vol de Mère Teresa à bord d'Air India, on lui a expliqué qu'il n'y avait de repas que pour les clients de première classe. Aux autres, on prête une tasse pour aller se quêter quelque chose en première classe…

Milton Berle

« Je sais que Dieu ne m'en demandera pas plus que je peux donner. Je souhaite seulement qu'Il ne me fasse pas trop confiance… »

Mère Teresa

À Venise, une veuve consulte un croque-mort sur l'éventail de services et de prix d'un enterrement. Après avoir rejeté une à une les offres trop chères pour son budget, elle demande : « Qu'est-ce que vous auriez de vraiment moins cher ? » Et le croque-mort de préciser : « Je peux vous avoir un prêtre dans un canot avec le cercueil, mais le cortège devra suivre à la nage ! »

« De tous temps, chaque chose a eu son anti : par exemple, un muet, c'est un antiparlementaire ; un athée, c'est un antimoine ; un croyant, c'est un antisceptique. Les Arabes du Caire sont antisémites… et les Sémites sont antiquaires. »

Raymond Devos

« Céline Dion est maman grâce à la fécondation *in vitraux*… C'est pourtant pas elle qui chante *Le Temps des cathédrales* ! »

Laurent Ruquier

N⊕S SAINTS

« Quand Dieu ne veut, le saint ne peut… »

Vieil adage

« Un saint est un pécheur, revu et corrigé. »

Ambrose Bierce

« Dans une petite église, un petit saint est grand. »

(Proverbe slovène)

« Je ne suis pas un saint… ça se saurait. »

Anonyme

« La sainteté aussi est une tentation. »

Jean Anouilh

« Beaucoup de ses mérites, le saint les doit à son expérience comme pécheur. »

Eric Hoffer

« Je ne connais pas un seul cas de saint sénile. »

Eugène Ionesco

« La sainteté n'est peut-être que le comble de la politesse. »

Jouhandeau

« Le péril une fois passé, le saint est bientôt négligé. »

Adage italien

« Il n'est miracle que de vieux saints. »

(XVIᵉ siècle)

« Saint Martin a donné la moitié de son manteau à un pauvre : comme ça, ils ont eu froid tous les deux ! »

Jacques Prévert

« Sainte Mémoire… priez pour qui ? »

R.T.

« Je tremble toujours pour les saints. J'ai peur qu'on ne les lapide pour en faire des reliques. »

Stanislaw J. Lec

« Pensez-vous être saint et juste impunément ? »

Jean Racine

« Le silence est la plus grande persécution. Jamais les saints ne se sont tus. »

Blaise Pascal

« J'aime mieux un saint qui a des défauts qu'un pécheur qui n'en a pas. »

Charles Péguy

« La religion est dans le cœur, pas dans les genoux. »

Douglas Jerrold

« J'admire le zèle des Témoins de Jéhovah. Ils croient que seules 144 000 personnes auront accès au Ciel. Au lieu d'aller de porte en porte recruter de nouveaux adeptes, je tiendrais ça sous silence, dans le style : "Ne le dites à personne, il ne reste plus que huit places…" »

Kathleen Madigan

Un Noir sud-africain se présente au paradis. Saint Pierre lui demande : « Pourquoi crois-tu avoir mérité le Ciel ? » L'autre répond : « J'aimais une Blanche et je l'ai épousée malgré les interdits ! » Saint Pierre continue son enquête : « Il y a longtemps ? » Et le pauvre Noir avoue : « À peu près cinq minutes ! »

« Un au-delà ? Pourquoi pas ? Pourquoi les morts ne vivraient-ils pas ? Les vivants meurent bien eux. » *Chaval*

« Je ne vais pas à l'église. M'agenouiller déforme mes bas nylon ! » *Réplique du film* Ace in the Hole

– Le représentant de SOS Racisme : « Qu'est-ce que vous avez contre les Arabes ? »
– L'armurier : « J'ai des fusils à pompe, des Magnum 357, des couteaux de chasse… » *Jean Peigné*

« La seule différence entre les juifs et les catholiques, c'est que les premiers sont nés coupables et que les seconds ont appris à l'être à l'école. » *Elayne Boosler*

« Je suis à moitié juif et à moitié catholique. Quand je vais à confesse, je me fais assister par mon avocat. »

Ed Mann

« À L'HEURE DE NOTRE MORT... »

« On devrait mourir une heure par jour pendant toute sa vie, plutôt que de mourir une grosse fois à la fin : la mort étalée... »
Jean-Marie Gourio

« Je lis dans chaque épitaphe cette règle de conduite : Voulez-vous qu'on dise du bien de vous ? Faites le mort ! » *Ambrose Bierce*

« Épitaphe : Inscription sur une tombe, montrant que les vertus acquises par le trépas ont un effet rétroactif. » *Philippe Héraclès*

Épitaphe pour un serveur : « Dieu a enfin attiré son attention ! »
Milton Berle

Épitaphe souhaitée par Coluche : « Circulez, y'a rien à voir ! »

L'épitaphe idéale : « Je reviens dans cinq minutes ! » *Eddie Braben*

« Ci-gît Allais, sans retour. » *Alphonse Allais*

« S'ils veulent pas me faire enterrer, ils me saleront ! »
Germaine Guèvremont

« Vous aimez le Bon Dieu, Mme Prud'homme ?
– Ben sûr, monsieur le Curé !
– Vous avez sûrement hâte d'aller au Ciel ?
– Ouais, mais j'aime bien le Québec ! »
Jacques Grand'Maison et Solange Lefebvre

Comme disait San-Antonio, il faut « accepter les alinéas de l'existence » et « utiliser les doyens du mort » pour éviter de « tomber de caraïbe en syllabes » et de « se faire le rat qui rit »...

« Les Juifs sont un peuple angoissé. Dix-neuf siècles d'amour chrétien leur ont brisé les nerfs ! » *Israël Zangwill*

« Si tu es fâché avec ton rabbin, ne dis pas Amen ! ... »
« Il doit son âme à Dieu et sa viande au boucher... »

« Que Dieu me préserve d'avoir un seul enfant et une seule chemise ! »

Deux Juifs religieux viennent de brûler un feu rouge à moto. Un policier les arrête illico et les sermonne. « C'est imprudent et dangereux… Je vous donne une chance, cette fois-ci, mais ne recommencez pas ! » L'un des motards croit bon de préciser : « Vous savez, nous ne sommes pas seuls à bord : Dieu est avec nous ! » Le policier réagit alors : « Ah ! c'est comme ça ! Vous étiez trois sur la moto ! Je vous dresse un procès-verbal ! »

Marc-Alain Ouaknin et Dary Rotnemer

« Jésus était sûrement Juif : il a continué dans l'entreprise de son père ! »

Steve Allen

« Vue à la porte d'une synagogue de Boston, cette annonce pour une levée de fonds : "Vous ne pouvez l'apporter avec vous, mais vous pouvez l'envoyer d'avance…" »

Reader's Digest

« Dieu est un payeur honnête, mais il n'est pas pressé… »

– La dame patronnesse : « Ah ! Il n'y a rien de plus beau que la musique ! »
– Le père Lindsay : « Si, madame, le silence ! »

– Le vicaire : « Tu as dit à ta future femme que tu voulais une grosse famille ? »
– Le paroissien : « Oui, mais… de là à faire immigrer la sienne ! »

PRIÈRES

« Prier, c'est exaucer Dieu. »

André Frossard

Prière des boursicoteurs : « Au nom du pair et du fisc et du synthèse-prix… »

Jean Bondiork

« Les prières ne devraient jamais être exaucées ; si c'est le cas, ce ne sont plus des prières, c'est de la correspondance. »

Oscar Wilde

Prière : « Signe de bonne foi. »

Guy Brouty

« Ils ont de la chance les êtres qui peuvent prier Dieu. Ils ne s'adressent pas à n'importe qui. »

Albert Brie

« Mon Dieu, gardez-moi de mes amis. Quant à mes ennemis, je m'en charge. »

Attribué à Voltaire

« Mon Dieu, que votre volonté soit fête. »

Frédéric Dard

« Ô mon Dieu, je suis libre, délivrez-moi de la liberté ! »

P. Claudel

« Bon Dieu, Seigneur, délivrez-nous des saints ! »

André Malraux

« Seigneur, aide-moi à être le genre de personne que mon chien croit que je suis… »

Anonyme

« Seigneur, fais-moi dormir comme la pierre et fais-moi lever comme le bon pain. »

Jean Guéhenno

« Seigneur, laissez-moi vous prouver qu'un gain à la Loterie ne me changera pas ! »

« Le moine ne prie pas tant qu'il a encore conscience qu'il prie. »

R.-L. Bruckberger

« Si tu veux te tenir debout, tombe à genoux ! »

Vilhelm Ekelund

« Les prières mal prononcées ne sont pas entendues : les esprits sont durs d'oreille. »

Sagesse chinoise

– Le gérant des ventes : « Franchement, vous m'épatez : 200 Bibles vendues en un mois ! Avez-vous un truc ? »

– Le vendeur : « Ça tient aux sept premiers mots que je prononce : Mademoiselle, puis-je parler à votre mère ? »

« Combien d'hommes la Bible a-t-elle pu nourrir en commentateurs, imprimeurs, relieurs ? » (et vendeurs ?)

Georg C. Lichtenberg

– Le curé : « Mes excuses, monsieur l'agent… J'étais distrait… Je pensais aux problèmes financiers de la paroisse… Est-ce que je roulais trop vite ? »

– Le policier : « Non… vous rouliez trop bas ! »

– Le barman : « Ça ? C'est une bouteille de Vat 67… »

– Le client : « Ah ! … Je pensais que c'était le numéro de téléphone du pape ! »

– L'organisateur de la campagne de charité : « Il est si riche que ça ? »

– Son trésorier : « Lui ? Quand il prend l'avion, juste son portefeuille l'oblige à payer un excédent de bagages ! »

– Le pasteur : « La Bible nous commande d'aimer notre prochain ! »

– Le fidèle : « Est-ce qu'elle mentionne son fils avec une guitare électrique ? »

Milton Berle

– Le gardien de prison : « Que cherchez-vous dans la Bible ? »

– Le maréchal Bassompierre : « Un passage… pour sortir d'ici ! »

RELIGION U.S.A.

– Un sénateur : « Dr Hale, priez-vous parfois pour les sénateurs ? »
– Le pasteur Hale : « Non… Je regarde les sénateurs, et je prie pour mon pays ! »

« Je n'ai pas d'objection à entendre la messe dans un ciné-parc. Mais administrer le baptême dans un lave-auto, là on charrie ! »

Robert Orben

Trois jeunes rabbins comparent les réformes apportées depuis quelque temps dans leur communauté. Le premier dit : « On a maintenant tout loisir de servir des sandwiches au jambon dans nos fêtes ! » Le second renchérit : « Dans notre nouvelle synagogue, on a fait installer des cendriers un peu partout. » Et le troisième les bat tous en leur annonçant : « Chez nous, on travaille même les jours de fêtes juives ! »

George Jessel

Prière de l'Américain moderne : « Mon Dieu, je prie pour que vous m'accordiez la patience. Et tout de suite ! »

Oven Arnold

« C'est à la bonté de Dieu que nous devons d'avoir dans ce pays ces trois choses précieuses : la liberté de parole, la liberté de conscience et la prudence de ne jamais user d'aucune des deux. »

Mark Twain

« Une prière silencieuse, lors d'un banquet, c'est quand tout le monde courbe la tête et se concentre sur les bruits de la cuisine… »

R. Orben

« Plus hauts sont les buildings, plus basse est la morale. »

Noel Coward

« In God we trust ! … All others must pay cash ! »

« Pauvre Mexique ! Si loin de Dieu et si près des États-Unis ! »

Attribué à l'ex-président Porfirio Diaz

« Nous leur demandons seulement d'aimer leur prochain autant que leur voiture… »

Gilbert Cesbron

– Un curieux : « Et sur quoi a-t-il prêché ce bon curé ? »
– Le Président Coolidge : « Sur le péché… Il est contre ! »

OBSÈQUES : « Si vous n'allez pas aux obsèques des autres, ils ne viendront pas aux vôtres. »
Clarence Day

OBSÉQUIOSITÉ : « Extrême onction. »
Maurice Ferrand

OCÉAN : « … preuve immense que Dieu pleura sur son ouvrage. »
Paul Fort

OFFICIANT : « Maître d'autel. »
G. Levasseur

OISEAUX : « Dieu aima les oiseaux et inventa les arbres. L'homme aima les oiseaux et inventa les cages. »
Jacques Deval

OLD-TIMER : « Celui qui se rappelle du temps où la charité était une vertu plutôt qu'une industrie… »
Changing Times

OPPORTUNISTE : « Celui qui vendait des parapluies avant le Déluge… »

OPTIMISTE : « Celui qui donne 25 cents à la quête en espérant avoir un sermon de cinq dollars… »
Banking

ORAISON : « Grâces à Dieu. »
Marc Elbert

ORDINATION : « Mise en ordre. »
Robert Mallat

OUVRAGES : « Dieu, lui aussi, a essayé de faire des ouvrages. Sa prose, c'est l'homme. Sa poésie, c'est la femme. »
Napoléon

« J'avais tellement de péchés à confesser que le curé m'a engagé ! »
Ghislain Taschereau

– L'abbé Mugnier : « Vous ne trouvez pas que certains convertis prennent beaucoup de place dans l'Église ? »
– L'abbé Brémond : « En effet… Je suis bien prêt à ne pas ménager les veaux gras, mais qu'ils nous épargnent le tour du propriétaire ! … »

« J'ai bonne conscience : je roule dans une voiture allemande, mais mon tailleur est juif. »

Jean Yanne

🐝

« Les trésors des églises […] Les plus étranges de ces reliques sont deux ampoules dont l'une contient un rayon de l'étoile qui conduisit les trois Rois mages et l'autre, le son des cloches de Jérusalem. » !!!

Georg C. Lichtenberg

🐝

On a beaucoup ri d'un télégramme que Mauriac a reçu peu de jours après la mort de Gide et ainsi rédigé : « Il n'y a pas d'Enfer. Tu peux te dissiper. Préviens Claudel. (Signé) André Gide ! »

Julien Green

🐝

« Le Diable a rendu de tels services à l'Église que je m'étonne qu'il ne soit pas encore canonisé. » *Carlo Dossi*

🐝

« Je ne suis pas un pilier de l'Église. Je suis plutôt un arc-boutant : je la supporte de l'extérieur ! »

Winston Churchill

🐝

« Un étudiant de l'Université Washington vient de vendre son âme sur Internet pour 400 $. Comme il s'agit d'un futur avocat, il n'en a probablement pas besoin. » *Jay Leno*

🐝

« Je n'ai rien contre les jésuites, mais je ne voudrais pas que ma fille en épouse un. » *Patrick Murray*

🐝

Le père John Culkin s.j. : « Nous ne savons pas qui a découvert l'eau, mais nous sommes assez certains que ce n'était pas un poisson… »

« Elle avait un confesseur jésuite [...]. Lorsqu'il fut question des derniers sacrements et de penser tout de bon à la mort, elle le remercia et prit un dominicain. »

Saint-Simon

« Quatre confrères de communautés différentes sont réunis chez l'un des leurs quand survient une panne d'électricité. Le franciscain s'agenouille et prie son Frère le Tonnerre de se calmer. Le bénédictin récite son bréviaire, qu'il connaît par cœur. Le dominicain se lance dans une parabole sur les bienfaits de l'obscurité. Et quand la lumière revient, on constate l'absence du jésuite. C'est lui qui était allé réparer les plombs ! »

Hervé Nègre

« Qui hésite entre deux mosquées s'en retourne sans avoir prié. »

Dicton turc

Un jeune homme s'approche du docteur Bethune et lui avoue : « C'est grâce à votre influence que j'ai rejoint l'Armée du Seigneur ! » Le médecin s'en réjouit et lui demande : « À quelle religion étiez-vous rattaché avant ? » Le jeune homme précise : « Aux baptistes ! » Et Bethune de conclure : « Donc vous ne rejoindrez pas l'Armée du Seigneur, mais plutôt sa Marine ! »

Edmund Fuller

Lors d'un congrès de pasteurs presbytériens, certains d'entre eux voulurent profiter d'une pause pour faire une promenade. Comme ils s'apprêtaient à traverser un vieux pont sans tenir compte de l'avis affiché qui l'interdisait, un garde champêtre survient et leur dit : « Messieurs, vous ferez bien à votre guise, mais si vous traversez le pont, vous risquez tous de devenir baptistes ! »

Jacob M. Braude

AU DIABLE

« Que devient le diable quand il cesse de croire en Dieu ? » *S.J. Lec*

« De Dieu, on est sûr. C'est du diable qu'il faut s'assurer : devenir aussi malin que lui – jeu dangereux ! » *Gilbert Cesbron*

« Le Diable : encore un incompris ! » *H. de Montherlant*

« Si le diable se repentait, il serait tout de suite pardonné. » *Maritain*

« Belzébuth n'est peut-être rien d'autre que le plus beau des zébus ! » *Ramon Gomez de la Serna*

« Le diable, voyez-vous, c'est l'ami qui ne reste jamais jusqu'au bout. » *Georges Bernanos*

« Dieu est Dieu et le monde est le diable. Regretter le monde, c'est regretter le diable. » *Alexandre Dumas*

« Le diable représente en quelque sorte les défauts de Dieu. Sans le diable, Dieu serait inhumain. » *Jean Cocteau*

« Le diable vient chez les riches, mais chez les pauvres, il vient deux fois ! » *Proverbe suédois*

« Plus on est de damnés, moins on cuit. » *Georges-Armand Masson*

« Le Ciel nous donne de la bonne viande, mais le Diable fournit les cuisiniers. » *David Garrick*

« Je me sens entre le Diable et le Saint-Siège... Ma tâche est d'empêcher la *Californication* de l'Irlande ! » *James Montgomery*

« Les Satan se divisent en anges déchus et en humains ayant obtenu de l'avancement. » *Stanislaw J. Lec*

« Quand il pleut des omelettes, le Diable enlève les assiettes. »

« Monsieur de Camper racontait qu'un missionnaire peignit l'enfer de si ardente façon à une communauté de Groenlandais, et tant parla de sa chaleur, que ceux-ci commencèrent d'éprouver le désir d'y aller. » *Georg C. Lichtenberg*

« Le diable a rendu de tels services à l'Église que je m'étonne qu'il ne soit pas encore canonisé. » *Carlo Dossi*

Lettre ouverte : « Mon mari ne cesse de m'envoyer au Diable. Ai-je le droit légal d'y emmener les enfants ? » *Dorothy Dix*

Robert Orben : « Je voudrais souhaiter à tous un Joyeux Noël. Et, à ceux qui ne fêtent pas Noël, un Joyeux Chanukah. Et à ceux qui ne fêtent pas Chanukah non plus, je dis… Comment se fait-il que vous ne soyez pas au travail aujourd'hui ? »

La maman demande à son fiston : « Tu as eu un cours de religion ce matin. Qu'est-ce que tu as appris de bon ? » Le garçonnet, un peu ennuyé, répond : « Ben, il a été question de la traversée de la mer Rouge par les Hébreux… » Et comme sa mère le prie de préciser, il débite ceci : « Ben, c'était assez cool, les Hébreux étaient bloqués par la mer Rouge… ça fait que Moïse a appelé des Mirages par walkie-talkie, pis des véhicules amphibies se sont pointés, pis tout le monde a pu se rendre en Israël… » La mère est sidérée : « T'es sûr qu'on t'a raconté ça de cette façon ? » Et le fiston d'éluder le problème en disant : « J'vais te dire une chose, si je te racontais comment Moïse l'a fait, tu me croirais encore moins ! » *Jean Peigné*

« Bonjour. monsieur l'abbé… Je vous arrête juste pour vous signaler qu'il y a un policier protestant au prochain feu de circulation ! » *Milton Berle*

« Chacun pour tous et Dieu pour soi. » *Auguste Detoeuf*

Du même : « Vous voulez une suggestion de cadeau pour votre pasteur ? Ce qu'il y a de mieux ? Des lunettes en vitrail ! »

PETIT LEXIQUE

PAPE : « La colombe de la paix dans une cage blindée. »   *Coluche*

PARAPLUIE : « … C'est le seul arrangement que les Anglais ont avec le ciel. »

PASTORALE : « Prêtre, pas prêtre, j'y vais ! »   *(Devise…)*

PATIENCE : « … La moelle de la charité. »   *Sainte Catherine de Sienne*

PÊCHE MIRACULEUSE (la) : « … Ramasse des poissons étonnés ! »
Cité par Jean-Paul Desbiens

PIÉTÉ : « Vénération due à Dieu à cause de sa supposée ressemblance avec l'homme… »   *Ambrose Bierce*

PHILOSOPHER : « … Apprendre à mourir, mais aux autres ! »
Georges Elgozy

PIONNIER : « Ne jamais être un pionnier. Au premier chrétien, le lion le plus affamé. »   *Hector Saki*

POINT : « C'est tout ce qu'il y a au-dessus de Dieu… »   *René Bergeron*

POLOGNE : « … Produit essentiellement de la vodka, des papes, des bateaux (avec une production *en Dantzig*) et des miracles ! […] Les Polonais ne connaissent pas de crise de foi, même s'ils voient la Vierge Noire. »   *Bruno Masure*

POMME d'ADAM : « Souvenir de Genèse qui nous est demeuré dans la gorge… »   *Noctuel*

PRESSE (la) : « … A succédé au catéchisme dans le gouvernement du monde. Après le pape, le papier ! »   *Victor Hugo*

PRÊTRE : « Ministre sans portefeuille… »   *N. Girodias*

PROVIDENCE : « Nom de baptême du hasard. »   *Chamfort*

P.S. : « Yours till Hell freezes ! »   *Le baron John A. Fisher*

PURGATOIRE : « Et pensez à prier pour ceux du purgatoire, Ce lieu de pénitence où l'on n'a rien à boire. »   *Michel de Ghelderode*

PURITANISME : « Une maison où l'on trouve six Bibles et aucun ouvre-bouteille. »   *Mark Twain*

« Quand Dieu vous rend service, Il ne s'en vante pas. »

Proverbe Yiddish

« Le monde est mal fait parce que Dieu l'a créé tout seul. Il aurait consulté deux ou trois amis… le monde serait parfait ! »

A. Capus

« Je pense que notre Père céleste a inventé l'Homme parce qu'Il était désappointé du singe… »

Mark Twain

« Patriarche : un vieil homme trop âgé pour être Santa Claus et trop jeune pour être Dieu… »

Leonard Louis Levinson

« C'était un monde d'homme… et puis, Ève est arrivée. »

Richard Armon

« Femme, incarnation du sourire de Dieu. »

Sully Prudhomme

« De l'autre côté de la vie, c'est le printemps, il y fait Dieu comme il fait soleil sur nos printemps de la terre. »

Didier Decoin

« À quoi cela servirait-il, mon Dieu, d'être catholique si, en plus, il fallait avoir des remords comme les protestants ! »

J. Anouilh

– Une fervente lectrice : « Ah ! père Ambroise… j'ai beaucoup entendu parler de vous ! »
– Le père Ambroise : « En bien ou en vrai ? »

BÉATITUDES... NOUVELLES

« Béatitudes : Allah bonheurs d'occasion... »

« Bienheurer : verbe archaïque signifiant "bénir, proclamer bon" ! »
Maurice Rheims

« Bienheureux celui qui n'attend rien, car il ne sera jamais déçu. »
A. Pope

« Bienheureux ceux qui n'ont rien à dire et qu'on peut persuader de n'en rien faire... »
James Russell

« Bienheureux ceux qui savent rire d'eux-mêmes, car ils n'ont pas fini de s'amuser ! »

« Bienheureux les ignorants, car ils sont contents de croire qu'ils savent tout... »
Lewis & Faye Copeland

« Bienheureux les fêlés, car ils laissent passer la lumière. »

« Heureux qui est dépouillé injustement, car il n'a plus rien à craindre de la justice. »
Paul Claudel

« Heureux est celui qui n'a jamais connu le goût de la renommée : l'avoir, c'est le Purgatoire ; le désirer, c'est l'Enfer. »
Lord Lytton

« Heureux ceux qui ne parlent pas, car ils s'entendent. »
M.J. de Larra

« Heureux qui a quelque chose à donner, car à celui qui n'a pas, on ôtera même ce qu'il a... »
P. Claudel

« Heureux et libre est celui qui ose dire non ! »
P.A. de Genestet

« JUSTES : simples d'esprit qui ont cru pouvoir parier sur l'intelligence de leurs contemporains... jusqu'à ce que les fanas tiquent... »
B. Masure

« Béni soit l'homme qui, n'ayant rien à dire, s'abstient d'en administrer la preuve en paroles. »
George Eliot

« Bénis soient les oublieux, car ils l'emportent même sur leurs bévues. »
Nietzsche

« Bénis soient les jeunes, car ils hériteront de la dette nationale ! »
Herbert C. Hoover

« Tout homme porte en lui un continent inexploré. Heureux qui peut être le Christophe Colomb de sa propre âme. »
J. Stephen

«Un rabbin et un curé s'affrontent amicalement sur des questions de différences religieuses. Le curé intervient alors en disant : "Arrêtons de nous chamailler. Au fond, on travaille tous les deux pour Dieu, vous à votre manière et moi à la Sienne…"»

Hervé Nègre

– La maman : «Combien de fois faudra-t-il que je te le dise : quand on prie à l'église, on ferme toujours les yeux !»
– Le petit futé : «Ouais… Comment sais-tu que je ne les ferme pas ?»

George Jessel

«Les femmes sont la vie en tant que la vie est au plus près du rire de Dieu. Les femmes ont la vie en garde pendant l'absence de Dieu. Elles ont en charge le sentiment limpide de la vie éphémère, la sensation de base de la vie éternelle.»

Christian Bobin

«Dieu préfère tes mérites aux vertus de tes ancêtres.»

Sagesse juive

Un rabbin et un prêtre discutent… du coq à l'âme. Le prêtre déclare soudain : «Hélas, un rabbin n'a pas beaucoup d'avenir… Chez nous, par exemple, un vicaire peut devenir curé, puis évêque ou archevêque, et cardinal et même pape !» Le rabbin : «C'est tout ?» Le prêtre ouvre de grands yeux et dit : «Vous ne voulez tout de même pas qu'on devienne Dieu ?» Et le rabbin sourit finement en répliquant : «Pourquoi pas ? L'un des nôtres y est parvenu !»

Milton Berle

ATOUT PÉCHÉ...

« Parti communiste : À tout P.C. miséricorde ! »

Jacques Pater

« Il y a trois sortes de péchés : les petits, les gros, et enlever ses chaussures sans défaire les lacets ! »

Une nurse anglaise

« Ce que nous appelons péché chez les autres n'est qu'une expérience pour nous. »

Ralph Waldo Emerson

« Dieu peut bien pardonner vos péchés, mais votre système nerveux ne le fera pas. »

Alfred Korzybski

« Le Christ a pardonné à la femme adultère. Parbleu ! Ce n'était pas la sienne ! »

Georges Courteline

« Le salaire du péché, c'est la mort et, en des temps comme ceux que nous vivons, c'est à peu près le seul salaire décent qu'on puisse obtenir ! »

Louis Phillips

« Que la paresse soit un des péchés capitaux nous fait douter des six autres. »

Robert Sabatier

« Pécher, c'est patiner sur une glace mince et se ramasser dans l'eau chaude. »

Milton Berle

« Rares sont les gens qui peuvent évaluer une faute sans mettre leur doigt sur le plateau de la balance. »

Byron J. Langenfield

« L'on ne peut inventer de nouveaux péchés, mais l'on n'en perd pas. »

Joris-Karl Huysmans

« Au cinéma, le péché cardinal, c'est l'ennui. »

Frank Capra

« L'autobiographie est un péché... »

Harold Laski

« On ne sait plus à quel saint s'avouer... »

R.T.

Un jour, Dieu a dit : « Je partage en deux. Les riches auront de la nourriture. Les pauvres auront de l'appétit. »

Coluche

De Gaulle arrive au Ciel et, quand il comparaît devant Dieu, Celui-ci, contrairement au protocole, ne se lève pas ! Saint Pierre s'approche et lui murmure à l'oreille : « N'oubliez pas que le grand Charles est l'ex-président de la France, la fille aînée de l'Église. » Et Dieu de répondre : « Je le connais, si je me lève, il va s'asseoir à ma place ! »

Hervé Nègre

« Dans chaque fidèle, il y a un prie-Dieu et une chaise. »

Gilbert Cesbron

Le curé salue ses paroissiens au sortir de la messe. Il aperçoit la responsable de la garderie locale et lui demande : « Et puis, chère madame, comment ça va, la garderie à 5 $? » La dame lui répond alors : « Vous savez, monsieur le curé, pour 5 $, je les garde, mais pour 1 $ de plus, je les aime ! »

« Dieu n'aurait pas inventé l'automobile s'Il avait voulu que je marche. »

Jack E. Morpurgo

– L'aumônier : « Et puis, Roger, ton fameux patient mégalomane, est-ce que ça s'améliore ? »
– Le gardien : « Pas vraiment… Avant, il se prenait pour Dieu, maintenant, il se prend pour Jean Chrétien ! »

« Je respecte trop l'idée de Dieu pour le rendre responsable d'un monde aussi absurde. »

Georges Duhamel

« Si on aime Dieu en pensant qu'il n'existe pas, il manifestera son existence. »

Simone Weil

LA CRÉATION

« Dieu, modeste, n'ose pas se vanter d'avoir créé le monde. »

J. Renard

« Dieu a tout fait de rien, mais le rien perce. »   *Paul Valéry*

« L'Homme a été fait à la fin d'une semaine de travail quand Dieu était fatigué. »

Mark Twain

« Six jours ! On a toujours tort de bâcler ! »   *Alexandre Breffort*

« Ève : une côte à remonter ! »   *Jacques Languirand*

« Et Dieu créa la flemme… »   *Alexandre Breffort*

« C'est Dieu qui a créé le monde, mais c'est le Diable qui le fait vivre. »

Tristan Bernard

Du haut d'un nuage, les mains rouges d'argile, Dieu contemplait les animaux : « Je suis mécontent du zèbre », dit-il à saint Rémi qui tenait la liste, « il ressemble trop au cheval, rayez-le ! »   *Pierre Ferran*

« Dieu a fait l'homme avant la femme pour lui permettre de placer quelques mots. »

Jules Renard

« Dieu créa l'homme et ne le trouvant pas assez seul, il lui donna une compagne pour mieux lui faire sentir sa solitude. »   *Paul Valéry*

« Après avoir créé le zèbre, Dieu essaya d'ajuster son appareil. »

Yves Taschereau

– L'épouse : « Si Dieu a créé la femme en second, ça devait sûrement être une amélioration du modèle original ! »
– Son mari : « S'il a choisi de la créer en deuxième, c'est qu'il ne voulait pas de conseil ! »   *George Jessel*

On demanda à un rabbin pourquoi Dieu a créé les Gentils. Dans sa sagesse profonde, il fit cette réponse : « Il faut bien que quelqu'un achète au prix de détail ! »   *Ben Eliezer*

« Qui sait combien de mots Dieu essaya avant de trouver celui qui créa le monde ? »   *Stanislaw Jerzy Lec*

À une question plutôt corsée, un étudiant négligent décide de répondre : « Dieu seul connaît la réponse à cette question ! » Quand il a reçu ses résultats, on pouvait lire cette note manuscrite du correcteur : « Dieu a passé brillamment, mais vous, vous avez échoué bien évidemment ! »

« Les prêtres – comme les politiciens en cette matière – devraient se considérer comme des *entertainers*, au moins en ce que c'est leur première tâche de garder leur auditoire réveillé… »

« Il semble que Dieu s'éloigne de nous. Jusqu'ici, l'homme était tourmenté par des questions sans réponse ; avec les ordinateurs, on est inondé de réponses pour lesquelles on n'a même pas de questions. »

« Saint Paul prétend que le Christ disait : "Sans la charité, je ne suis rien". Et toi, tu dis : "Sans mon ordinateur, je ne suis rien", surtout en situation catastrophique, quand il attrape un virus… Serait-ce là tout le progrès de la civilisation ? »   *Noël Audet*

« Qui donne aux pauvres, prête à Dieu ; qui donne à l'État voudrait bien ne pas prêter à rire ! »   *Franc-Nohain*

– Le pasteur : « Pourquoi pensez-vous que les gens ont érigé le Veau d'or ? »
– Un catéchumène : « Parce qu'ils n'avaient pas assez d'or pour faire une vache en or… »   *Kevin Goldstein-Jackson*

QU'EST-CE QUE : « Qu'est-ce que Dieu ? Qu'est-ce que l'âme ? Qu'est-ce que l'homme ? Qu'est-ce que l'amour ? Qu'est-ce que la vie ? Qu'est-ce que la mort ? … Merci ! Vous m'en mettrez six *qu'est-ce* ! »
Roland Bacri

QUESTION : « Quand vous parlez de l'infini, jusqu'à combien de kilomètres pouvez-vous aller sans vous fatiguer ? »
Jean Tardieu

QUESTION : « Sachant que vous êtes immortel, comment occupez-vous vos journées ? »

QUESTIONS EXISTENTIELLES : « Qui sommes-nous ? Où allons-nous ? D'où venons-nous ? Qu'est-ce qu'on mange… ? »
Pierre Desproges

QUÊTE : « Toutes les religions se ressemblent par la quête. » *J. Renard*

QUÊTE : « Recueillement dans le temple. »
Ferdinand Exbrayat

QUI SUIS-JE ? : « Qu'ai-je été ? Que suis-je ? Pas de verbe plus creux que le verbe être ! »
Pierre Baillargeon

QUINTESSENCE : « Extrait extra. »
Serge Mirjean

« QUOTIRIEN » : « Néant qui revient tous les jours… » (le plus difficile à affronter pour les apprentis nihilistes…)

À Salt Lake City, en plein territoire mormon, un pharmacien très religieux a fait installer un appareil original. C'est une machine à tester la santé tout à fait gratuitement. Les notes explicatives disent ceci : « Tenez le papier que vous rend la machine et soufflez fortement dessus. S'il devient vert, voyez votre médecin. S'il devient brun, visitez votre dentiste. S'il devient noir, consultez un psychiatre. Mais s'il reste blanc, remerciez Dieu pour votre bonne santé, il n'y a pas de raison pour qu'on ne vous voit pas au Temple dimanche prochain. »
Steve Allen

« Voyez comme Dieu fait bien les choses quelquefois : le pigeon n'est fameux qu'au temps des petits pois ! »

Raoul Ponchon

« Il faut des légumes frais aux missionnaires, car l'anthropophagie est contagieuse et l'on ne soupçonne que les sauvages. »

P. Éluard

Un proverbe espagnol assure que « Quand Dieu guérit, c'est le médecin qui encaisse… »

– L'étudiant : « Je ne comprends pas que ma dissertation très révolutionnaire sur Jésus m'ait valu une note aussi basse ! »
– Le professeur : « Écoutez… Il ne suffit pas de rappeler que Jésus, parce qu'il faisait le même métier que son père, qu'il avait vécu à la maison jusqu'à l'âge de trente ans et que sa mère le prenait pour Dieu, était ainsi un vrai Juif ! »

Jeff Rovin

« C'est une erreur de ne pas croire et une faute de tout croire. »

Fernando de Rojas

– Un curé de campagne : « Mes bien chers frères, nous sommes réunis aujourd'hui à cause de la sécheresse, pour demander à Dieu de nous envoyer de la pluie. Mais… combien peu de foi vous montrez, mes bien chers frères ! … Où sont vos parapluies ? »

Steve Allen

« Si carême fait les corps pourrir, aussi fait-il les âmes enrager. »

Rabelais

AUTRES PROVERBES

Proverbe algérien : « Le crâne du chauve est proche de Dieu. »

Proverbe alsacien : « Quand les gens ont la foi, il est facile d'être curé. »

Proverbe anglais : « Pour voir la lumière de Dieu, éteins ta petite chandelle. »

Proverbe arabe : « Dieu créa le désert, puis, furieux, il lui jeta des pierres. »

Proverbe espagnol : « On ne parle plus de Dieu à quelqu'un qui a les pieds froids. »

Proverbe italien : « Un diable ne fait pas l'enfer. »

Proverbe latin : « Même les justes peuvent pécher devant un coffre d'or ouvert à portée de la main. »

Proverbe néerlandais : « On peut toujours dire une messe basse dans une grande église. »

Proverbe perse : « Crois en Allah, mais attache ton chameau. »

Proverbe picard : « Ce que femme veut, Dieu en tremble. »

Proverbe québécois : « Pourquoi voir le vicaire quand on peut voir le pape ? »

Proverbe rundi : « Dieu donne, mais il ne vend pas. »

Proverbe russe : « Quand Dieu envoie la farine, le Diable enlève le sac. »

Proverbe russe : « Si Jésus-Christ me vient en aide, je me moque des anges. »

Proverbe soufi : « Il n'y a pas dans le désert de panneau qui dise : "Tu ne mangeras point de pierres." »

Proverbe turc : « À force de demander son chemin, on finit par trouver la Mecque. »

Proverbe turc : « Allah donne le pain à l'un et l'appétit à l'autre. »

Sagesse hassidique : « Dieu est où on le laisse entrer. »

– Un paroissien : « J'aimerais avoir un renseignement… Des funérailles avec une chorale et l'orgue, c'est combien ? »
– Le sacristain : « On peut parler de 300 $ facilement… »
– Le paroissien : « Et l'orgue tout seul ? »
– Le sacristain : « Autour de 100 $. »
– Le paroissien : « Et le prêtre tout seul ? »
– Le sacristain : « C'est 25 $… »
– Le paroissien : « Même si je fournis le mort ? »

Dans un coin reculé du Montana, des fidèles que leur pasteur sollicitait abusivement ont signé une pétition pour lui ouvrir les yeux. On lui a demandé de ne plus se décrire comme le pasteur du troupeau mais plutôt comme celui des tondus !

Jeff Rovin

Du même Rovin : « Il faut reconnaître que c'est grâce aux missionnaires si les cannibales ont pris goût au christianisme… »

« Drôle de peuple que ces Québécois religieux… Ils qualifieront ceux qu'ils trouvent gentils de bons diables et traiteront de Christ ceux qu'ils détestent. » *Robert Viau*

« Nous portons tous notre croix ici-bas, mais les plus malins la portent à la boutonnière. » *Jean Delacour*

« Dieu ne nous remplit qu'autant que nous sommes vides. »

Montherlant

« Saint Pierre fait une ronde de golf avec saint François. Après six trous, ils sont à égalité, chacun ayant réussi les trous en un seul coup ! Saint Pierre perd alors patience : "Bon ! Finissons-en avec les miracles et contentons-nous de jouer au golf ! »

Steve Allen

« Ô Dieu, si tu veux que jamais plus femme n'élève la voix, crée enfin un homme adulte ! »

Giraudoux

– Jules Renard : « Tu te rends compte, à 34 ans, Victor Hugo voyageait incognito et trouvait son nom sur des murs d'églises ! »
– Tristan Bernard : « À sa seconde visite, oui ! »

« On exagère les progrès de la délinquance juvénile : au temps d'Adam et Ève, elle était de 50 % ! »

Monseigneur Rhodain

Au Grand Séminaire de Montréal, il était coutume d'échanger des tours entre Québécois et Irlandais. C'est ainsi qu'un jour de Saint-Patrick, quelques costauds transportèrent une statue du saint dans la salle des toilettes. Bien juchée sur une citerne de cabinet, on lui avait installé un écriteau au cou disant ceci : « Before he was a saint, he was a man. »

« Lorsque Dieu a créé l'homme et la femme, il a fait la bêtise de ne pas prendre un brevet. Si bien que, maintenant, le premier imbécile venu peut en faire autant… »

George B. Shaw

– Un pré-ado : « Mes ancêtres remontent au temps de la Bible ! Ils étaient probablement à bord de l'arche de Noé… »

– Son rival : « Bah ! Les miens avaient leur propre bateau… »

« Jésus a eu une montre pour sa communion ; après, c'est devenu la coutume… »

Jean-Marie Gourio

– Le monsignor : « On m'a dit que vous formiez un couple très solide avec votre femme… Vous n'avez jamais parlé de divorce ? »

– Jack Benny : « Le mot divorce n'a jamais été prononcé entre nous. Meurtre oui, mais pas divorce ! »

– L'aumônier : « On me dit que vous avez insisté pour qu'on ne mette pas de bougies sur votre gâteau ? »

– Ethel Barrymore : « Mon père, c'est une fête d'anniversaire, pas une procession aux flambeaux ! »

Suggestion de prière pour le repos de l'âme d'ennemis fraîchement décédés : « Grillez pour nous ! » (Ô Saint-Hubert… air connu)

– Le confesseur : « Abrégez, s'il vous plaît, je ne veux entendre que vos péchés… »

– Le pénitent : « D'accord… Eh bien, moi, je vous conte tout, et vous… vous prenez ce qu'il vous faut ! »

PETIT LEXIQUE

RÂLEUSE : « Éternelle protestante. »
Victor Naton

RÉAGIR : « Il est temps, plus que jamais, de tirer le taureau par la queue et de prendre le diable aux cornes. »
Denys Lessard

RÉALITÉ : « … dépasse la cruci-fiction. »
Pierre Dudan

REBOUTEUX : « Libre panseur. »
Jean Bonot

RECONNAISSANCE : « Le bon Dieu reconnaît les siens, mais il est si bon qu'il fait semblant de reconnaître tout le monde. »
Abel Hermant

RELIGION : « Aspirine contre la perplexité… »
Jackson Parks

RELIGION (entrée en) : « Mariage d'oraisons. »
R. Pinchon

RELIQUES : « Châsse d'os. »
Dico-Canard

REMORDS : « C'est le coup de pied de l'âme. »
Jacques Pater

REMORDS : « Indigestion de l'âme. »
Emmanuel Wery

RENONCEMENT : « Renonce à ce monde, renonce à l'autre monde, renonce au renoncement. »
Dicton chinois

REQUIEM : « Nécro spirituel. »
Jacques Pater

RESPECT de la VIE : « On ne doit rien tuer, pas même une puce. Sauf en cas de légitime défense, bien entendu. »
Henri Monnier

ROSAIRE : « Machine à l'*Ave*. »
Ramon Touren

ROSSI (Tino) : « Petit pape à Noël… »
Noctuel

– Le curé : « Vous venez de vous marier ??? Comment un octogénaire comme vous a-t-il pu épouser une jolie fille de 20 ans ? »
– Le vieux rusé : « Je lui ai dit que j'en avais 90… »

« Méfiez-vous de cet hôtel-là… Il a bonne apparence, mais c'est vraiment un hôtel louche… Avant d'y séjourner un soir, je n'avais jamais vu de Bible attachée avec une chaîne… »

Parce qu'il savait qu'il allait mourir dans la bonne saison, le réputé gastronome Brillat-Savarin aurait dit : « Je vais avoir un *dies irae* aux truffes ! »

« La forme irrégulière du chameau est imputable à sa manie de vouloir passer à travers le chas d'une aiguille… »

Des touristes visitent le cimetière du Père-Lachaise à Paris. Une cérémonie est en cours. Un prêtre prononce l'éloge funèbre d'une personnalité en ces termes : « Nous enterrons aujourd'hui un grand politicien et un honnête homme. » L'un des touristes se tourne vers son compagnon et dit : « Tiens ! Je savais pas qu'on pouvait enterrer deux personnes dans le même cercueil… »

Jean Peigné

« Pourquoi s'effrayer de l'après-mort ? Est-ce qu'on a peur de l'avant-vie ? »

Louis-Paul Béguin

La foule maugréait en recevant les dix commandements. Dieu aussi d'ailleurs : il en avait dicté quinze ! »

Robert Orben

« Si Moïse revenait de nos jours ? Il irait sur le mont Sinaï, reviendrait avec les dix commandements et passerait huit ans à essayer de se faire publier. »

Robert Orben

AURÉOLES

Auréole : de « Hurray ! » et « Olé ! », étymologie semi-œcuménique...

« Auréole : Marque à saint... »   *Serge Mirjean*

« Les saints n'enlèvent leur auréole que pour la douche... »   *Gourio*

« Les auréoles s'envolent mais le Saint-Esprit reste... »   *P. Mignaval*

« À cause de l'auréole, parfois rien ne peut entrer dans la tête. »
Stanislaw J. Lec

Auréole : « Circonférence au sommet... »   *Dico-Canard*

Deux anges québécois se rencontrent : « Halo toi ! »

« Les pécheurs ont leurs halos sous les yeux... »   *L.L. Levinson*

« Qu'est-ce après tout qu'une auréole ? Quelque chose de plus
à nettoyer ! »   *Christopher Fry*

« L'indignation morale, c'est de la jalousie avec une auréole. »
H.G. Wells

– Un saint : « Qu'est-ce que tu as fait de ton auréole ? »
– L'autre : « Chut ! ... Aujourd'hui, je me promène incognito ! » *Noctuel*

« Que Mirande prenne le rond de cuir symbolique et qu'il s'en
fasse une auréole ! Mais je le connais. Les auréoles, justement, il
s'assoit dessus ! »   *Henri Jeanson*

« Je ne sais plus qui recommandait aux hommes de
faire chaque jour, pour le salut de leur âme, deux
choses qu'ils n'aimaient pas faire... C'est un précepte
que je suis scrupuleusement car chaque jour, je me lève
et chaque jour, je vais me coucher. »   *S. Maugham*

« Dieu a créé l'homme à son image, dit la Bible; les philosophes font exactement le contraire en créant Dieu à la leur. »

Stanislaw Jerzy Lec

« Dieu pêche les âmes à la ligne, Satan, au filet. »

Alexandre Dumas

« La pêche est un traitement héroïque imaginé par des laïcs pour guérir la maladie du sommeil rattachée aux sermons du dimanche. »

« Une peau épaisse est un cadeau de Dieu. »

Konrad Adenauer

« Il ne croit pas en Dieu, disait Rivarol d'un bigot, il craint en Dieu. »

« Dieu a créé l'homme lors du septième jour. Quand Il a vu ce qu'Il avait fait, il lâcha tout. L'effort pour Le ramener, c'est ce que les hommes appellent religion. »

Anonyme

En Irlande du Nord, une religieuse distraite est victime d'une panne d'essence. Laissant là son véhicule, elle se rend à pied jusqu'à un garage. Le pompiste n'a pas d'autre contenant qu'une grosse bouteille de bière. Il la remplit et la lui donne. Comme elle s'apprête à verser l'essence dans son réservoir, survient un protestant irlandais. Médusé en la voyant faire, il dit : « On a peut-être nos différences, ma sœur, mais, j'admire votre grande Foi ! »

Reader's Digest

ATHÉES-SOUHAITS

« Un athée est un cran au-delà du Diable. » *Proverbe*

« Je suis athée, Dieu merci ! » *Miguel de Unamuno (ou Bunuel ? ou Shaw ?)*

« Quand on ne croit pas en Dieu, il ne faut pas s'en servir pour dire qu'on n'y croit pas… » *Georges Perros*

« En chaque athée, il y a un candidat à la divinité. »

« L'athée est Dieu qui joue à cache-cache avec Lui-même. » *Sri Aurobindo*

« Le comble de l'athéisme : ne boire que de l'eau sous prétexte qu'il y a un Dieu pour les ivrognes… »

– Baudelaire : « Je ne crois pas en Dieu… »
– Louis Veuillot : « Il en sera très contrarié ! »

« C'était un athée aigri : le genre d'athée qui table moins sur l'inexistence de Dieu que sur le fait qu'il ne peut pas le blairer personnellement ! » *George Orwell*

– L'enquêteur : « Est-ce qu'il y a des désavantages à être athée ? »
– L'athée : « Oui… on a moins de congés ! »

« Athée russe : quelqu'un qui ne croit pas en Lénine. » *Grace Downs*

Devinette : « Qu'obtient-on en croisant un athée avec un témoin de Jéhovah ? »
Réponse : « Quelqu'un qui frappe aux portes sans raison. » *Guy Owen*

Les clubs athées : « Nonprophet organizations… » *Paul Harlan Collins*

« On a inventé un *Dial-a-Prayer* pour athées : tu peux appeler autant que tu veux et jamais personne ne répond… » *Ronald L. Smith*

« Autre gadget pour athée : un numéro à composer et quelqu'un se croise les doigts pour lui… » *Milton Berle*

Il y a plusieurs années, un jeune candidat au sacerdoce demandait au D\u207f Cadman : « Est-ce que je peux mener une vie simple de chrétien à New York avec 15 $ par semaine ? » Et le bon docteur de répondre sagement : « C'est même tout ce que tu peux faire avec ça ! »

Edmund Fuller

Un jeune Noir interroge son responsable de pastorale.
« Pourquoi c'est que j'ai la peau noire ?
– Considère ça comme un cadeau de Dieu : c'est pour te protéger des rayons du soleil ! »
– Pourquoi c'est que j'ai les cheveux crépus ?
– Encore un bienfait divin : ça te permet de courir dans la jungle sans que tes cheveux se prennent dans les branches !
– Pourquoi c'est que j'ai de longs bras et des longues jambes ?
– Pour pouvoir mieux échapper aux fauves quand ils te courent après !
– Pourquoi c'est que je suis né au Québec ? … »

« Si vous voulez vraiment énerver quelqu'un, dites-lui que vous allez prier pour lui. »

Edgar W. Howe

« Nous faisons nos amis, nous faisons nos ennemis, mais Dieu fait notre voisin. »

G.K. Chesterton

Un pasteur californien a imaginé cette note affichée au babillard paroissial : « Voici… ce… à… quoi… notre… église… ressemble… quand… je… monte… en… chaire ! Elleauraitl'airdececisichacunemmenaitunami ! »

Jacob M. Braude

Il y a deux sortes de gens. Ceux qui disent à Dieu : « Que cela soit fait ! » et ceux à qui Dieu dit : « D'accord, allez-y, faites ça à votre manière ! » *C.S. Lewis*

« Chacun est tel que Dieu l'a fait, et souvent bien pire ! »
Miguel Cervantes

« On confond souvent les bienfaits gratuits du Ciel avec le fruit de notre labeur… »
Roger L'estrange

« Le Ciel procède par faveurs; s'il fonctionnait au mérite, vous n'y accéderiez pas et votre chien y entrerait. »
Mark Twain

« Quand on n'a pas d'enfant, fait dire à l'un de ses personnages Marcel Pagnol, on est jaloux de ceux qui en ont. Et quand on en a, ils vous font devenir chèvre. La sainte Vierge, peuchère, elle n'en a eu qu'un, et regarde un peu les ennuis qu'il lui a faits ! »

Un petit gars de Palerme, fils de mafioso, mais catholique, rédige une demande de cadeau à l'Enfant-Jésus : « Je crois que j'ai été assez sage pour mériter un vélo… » Il s'arrête songeur, déchire son brouillon et reprend, plus énergiquement : « J'insiste, Jésus, je veux ce vélo ! » Insatisfait de sa missive, il lève les yeux et croise ceux d'une statue de la Madone. Il claque alors des doigts, s'empare de la statue et la cache dans un placard. Il reprend ensuite sa lettre : « Jésus ! … si tu veux revoir ta Maman… »

PETIT LEXIQUE

SACRE : « L'archevêque de Reims prononça la formule rituelle : "Sacré Napoléon !" et il le fit empereur. »
Un jeune élève

SAINT : « Un pécheur mort qu'on a revu et corrigé. » *Ambrose Bierce*

SANTA CLAUS : « Le quatrième membre de la Sainte Trinité. » *Un enfant*

SCEPTIQUE : « C'est un type qui, s'il rencontrait Dieu, lui demanderait ses papiers. »
Edgar A. Shoaff

SELF-MADE-MAN : « Qui adore son créateur… » *William Cowper*

SERMON : « Œuvre de chaire… » *René Bergerone*

SERVIR : « Vous ne savez pas comment servir les hommes. Comment sauriez-vous servir les dieux ? »
Confucius

SILENCIEUX : « … comme un moine contrarié. » *Anne Hébert*

SINISTER : « One who sins… » *College Humor*

SKIEUR : « Pentecôtiste… »

SOLITUDE : « … le terrain de jeux de Satan. » *Vladimir Nabokov*

SORCELLERIE : « Entreprise de démonition… » *Serge Mirjean*

SOUFFRIR : « C'est sous-frire un peu, comme on dit au Purgatoire… »
R.T.

SOUTANE : « Prêtre-à-porter… » *Dico-Canard*

« STIE ! » : « Abréviation de stigmates, juron populaire auprès de certains Québécois irrités par ce qu'il reste de religieux en eux… » *R.T.*

SUBLIME : « Heaven à la king… » *The Left Handed Dictionary*

SUPERFLU (le) : « … c'est comme une Bible au Ritz. » *F.S. Fitzgerald*

SUPÉRIORITÉ : « La maladie de notre temps, c'est la supériorité. Il y a plus de saints que de niches. »
H. de Balzac

SYNCRÉDULES (les) : « Méfiez-vous de cette Secte ! » *S.J. Lec*

SYNODE : « *Référend'âmes…* » *R.T.*

NÉOLOGISMES RELIGIEUX

« ALLÉLUIER (s') » : se remplir de joie…   *Emmanuel Looten*

« BEDEAUDAILLE » : type de croyant attiré par le superficiel…

Huysmans

« CANTIQUER » : chanter les louanges de…   *Alphonse Daudet*

« CATHÉDRALEUX » : qui fréquente la hiérarchie…   *Henri Michaux*

« CUCULTANT » : plus bigot que pieux…   *Roger Rabiniaux*

« ÉTERNULLITÉ » : l'éternité vide de l'incroyant…   *Jules Laforgue*

« GÉNUFLÉCHISSEUR » : tartufe, homme à courbettes…

Henri Michaux

« MAHOMERIES » : gestes sectaires…   *Montherlant*

« MASSACRILÉGER » : faire souffrir en profanant…   *Jules Laforgue*

« NOMDEDIEUSER » : jurer, sacrer…   *Courteline*

« SEMPITERNEUX » : perpétuel, éternel…   *Laurent Tailhade*

« SILENCIEL » : « Mutisme obstiné de Dieu. »   *Alain Finkielkraut*

« THÉOPHAGE » : un communiant catholique…   *Anatole France*

Ces inventions verbales colorées, mais souvent péjoratives, ont été empruntées (sauf « silenciel ») à l'ouvrage remarquable de Maurice Rheims, Les Mots sauvages, *chez Larousse.*

Un petit insupportable fait sa prière du soir : « Mon Dieu, pardonnez-nous nos offenses, comme nous pardonnons à ceux qui nous ont tant fessés… »

Mina et André Guillois

Un dominicain discutait avec un jésuite de la réputation de leur communauté. Après avoir écouté le jésuite vanter l'influence de ses confrères dans l'Histoire du monde, le fils de saint Dominique se référa à la Bible pour lui rappeler l'épisode suivant : « Quand Jésus aperçut le bœuf et l'âne dans l'étable, il se serait écrié tout déçu : "C'est ça, la Compagnie de Jésus ?" »

Un prêcheur dit : « Tu ne dois point voler ! » Un serrurier dit : « Tu ne dois pas pouvoir voler ! … »

Georg Lichtenberg

« Dieu a inventé le Parisien pour que les étrangers ne puissent rien comprendre aux Français ! »

Alexandre Dumas, fils

« If Jesus was a Jew, why the Spanish name ? » *Bill Maher*

« On n'entend pas que des conversations édifiantes au sortir de la messe du dimanche. L'autre jour, j'ai saisi celle-ci au vol : "Je voudrais pas insinuer qu'il est pingre, mais la semaine passée, il est sorti de l'église, un peu avant la quête, pour… changer quelque chose…" Une commère : "Changer quoi, un pneu ? » L'autre fait : "Non, une pièce de trente sous !" » *R. Orben*

Il y a cet homme qui, se voyant sursollicité par des disciples des Hare Krishna, leur fait cette réponse habile : « Non, merci… j'ai déjà donné dans une vie antérieure… »

Jeff Rovin

On prépare la grande procession annuelle en l'honneur de Marie, patronne des marins. Le porteur habituel de la statue de la Vierge étant malade, on recourt à un costaud qui n'est pas vraiment croyant. Des enfants de chœur précèdent la statue et attrapent comme ils le peuvent les pièces de monnaie qu'on lance. À un moment donné, une grosse pièce rate sa cible et notre costaud, par réflexe, se penche pour s'en saisir. Bien sûr, la statue lui échappe et se brise. Et le gaillard de conclure : « Ah ! la coquine ! Elle l'a vue avant moi ! »

Popeck

« Vous savez, j'ai déjà cru en la réincarnation, mais c'était dans une autre vie. »

Karen Salmansohn

– Le biographe : « Vous, vous avez raté un examen de métaphysique ? Ça m'étonne beaucoup ! »
– Woody Allen : « Eh oui ! … Figurez-vous que je m'étais permis de lire dans l'âme de mon voisin… »

« L'enfer est pavé de bonnes intentions, l'amiante aussi ! »

Gideon Wurdz

« Dieu personnellement n'est pas riche : il prend aux uns et distribue aux autres. »

Adage juif

Un fidèle anglican héberge chez lui trois candidats à la prêtrise. Il apostrophe sa femme : « Quand vas-tu te décider à tenir maison de façon correcte ??? Tu sais quoi ? Nos trois pensionnaires, on les envoie ici pour les décourager de se marier ! »

Robert Orben

Deux religieuses assistent à une partie de baseball aux États-Unis. Elles voilent la vue de deux fanatiques. L'un de ceux-ci dit à haute voix : « Je pense que je vais déménager au Texas : ils ont seulement 15 % de catholiques par là ! » Son copain renchérit : « Moi, j'irai plutôt en Oklahoma : ils en ont 10 %… » L'une des deux sœurs se retourne et fait : « Allez donc au diable ! Il n'y a pas de catholiques avec lui ! » *Steve Allen*

« Confuse époque où les musées deviennent des églises, et les églises des musées. » *Jean Cocteau*

« Aux Rameaux les grands remèdes ! » *Philippe Mignard*

Une secte moderniste a tenu un référendum spécial dont le pasteur a tenu à divulguer les résultats en ces termes : « Les membres de notre congrégation ont accepté de demander pardon à Dieu par un vote de 48 pour, 33 contre et 12 abstentions. » *Robert Orben*

« Jéhovah a toujours des témoins, mais jamais d'alibi. » *Peter Grijs*

« La vérité est comme la religion : elle n'a que deux ennemis, le trop et le trop peu. » *Samuel Butler*

« Les océans ne débordent pas parce que la Providence a prévu cette catastrophe et mis des éponges dedans. » *A. Allais*

Un cardinal et un sénateur américains meurent le même jour et se présentent en même temps chez saint Pierre. Le grand portier les accueille avec déférence. Au cardinal, il assigne un tout petit boudoir et il introduit le sénateur dans un immense salon. Le cardinal est un peu agacé et s'enquiert : « Pourquoi ce traitement de V.I.P... alors que... ? » Saint Pierre explique donc : « Vous savez, Éminence, nous avons beaucoup de cardinaux ici, mais c'est le premier sénateur qui réussit l'exploit ! »

Milton Berle

– Un sénateur : « Cet abruti m'a interrompu et m'a dit carrément d'aller au diable ! »
– Un collègue avocat : « Ne vous en faites pas, sénateur, je connais assez la loi pour savoir que vous n'êtes pas obligé d'y aller ! »

« J'en suis venu à considérer le Palais de justice non comme une cathédrale, mais comme un casino ! »

Richard Ingrams

Un missionnaire du Grand Nord attend patiemment l'arrivée de son évêque. Il fait les cent pas devant un immense igloo qui sert de mini-aéroport dans son bled perdu. Il s'approche alors d'un thermomètre accroché à un poteau et il confie à ses proches : « S'il n'est pas arrivé à moins vingt, on s'en va ! »

« Papamobile : immatriculée conception. Un pape au-dessus, seize soupapes en-dessous. »

Coluche

« On ne peut pas dire la messe sur un téléviseur ouvert... »

Gilles Vigneault

«Un chrétien efficace et réaliste est celui qui, quand son épouse lui dit : "Je serai prête dans un instant !", s'installe en tout confort et se remet à lire la Bible.»

«Jouer la comédie est le faible de Dieu;
«Il ne s'irrite pas, mais il se moque un peu;
«C'est un poète.»

Victor Hugo

Une religieuse enseignante vient d'expliquer ce que c'est que la sainte Famille. Elle demande à ses jeunes élèves de faire un dessin illustrant ce thème. L'un de ses artistes en herbe lui remet bientôt un joli dessin montrant quatre passagers dans un avion, dont trois avec un halo. Elle le félicite de son travail et lui demande alors qui est le quatrième personnage sans halo. Et l'enfant tout étonné explique : «Comment, tu n'as pas reconnu Ponce Pilote ?»

Steve Allen

«Les résolutions du Nouvel An, c'est ce qu'on laisse tomber quand le Carême arrive…»

Dolly Bremner

«Cherchez à comprendre le dernier mot de ce que disent dans leurs grands chefs-d'œuvre les grands artistes, les maîtres sérieux, il y aura Dieu là-dedans.»

Vincent Van Gogh

Dieu dit : «Tout est Verbe.» Puis, Jésus vint et dit : «Tout est Amour.» Alors arriva Marx qui déclara : «Tout est argent.» Puis Freud décida : «Tout est sexe.» Vint ensuite le tour d'Einstein qui affirma : «Tout est relatif.»

Anonymes

UNE FOI POUR TOUTES

«La foi... une aveugle qui donne des yeux à l'espérance.» *R. Judrin*

◆◆◆

«Si vous avez un peu de foi, pour l'amour du ciel, donnez-m'en une parcelle. Vos doutes, vous pouvez vous les garder, j'en ai plus qu'assez pour ma part!» *J. Wolfgang von Goethe*

◆◆◆

«Dieu les aura à l'œil ceux qui attendent un clignement des cieux pour croire...» *R.T.*

◆◆◆

– Le client: «Je veux savoir si Dieu existe...»
– La voyante: «Demandez-le Lui...»

◆◆◆

«La foi repose entre l'opinion et la science.» *Jean de Salisbury*

◆◆◆

«Athée: un ado d'autrefois qui ne croyait pas aux Beatles.» *R. Orben*

◆◆◆

«Mon chien est athée: il ne croit plus en moi!» *Cavanna*

◆◆◆

«Je l'ai entendu dire: "Je suis athée!" Que Dieu se le tienne pour dit!» *Albert Brie*

◆◆◆

«Le scepticisme est le commencement de la Foi.» *Oscar Wilde*

◆◆◆

«Si je suis croyant, Dieu seul le sait.» *S.J. Lec*

◆◆◆

«Si seulement Dieu pouvait me faire un signe évident. Comme faire un gros dépôt à mon nom dans une banque suisse.» *Woody Allen*

◆◆◆

«En amour comme en religion, le doute est une maladie de foi.»
Capus

◆◆◆

Une Foi n'est pas coutume...

«Il y a une vieille légende à propos d'un saint qui devait choisir un des sept péchés capitaux; il choisit celui qui lui parut le moins grave, l'ivrognerie, et avec celui-là, il commit les six autres!» *Hans Christian Andersen*

Un couple de Québécois fait un pèlerinage en Terre Sainte. Ils montent à bord d'une barque pour faire un tour sur le Jourdain. Le rameur leur offre ensuite de les emmener là où le Christ a marché sur les eaux… moyennant 50 $. La petite dame regarde son conjoint et fait : « Ouais… à ce prix-là, pas étonnant que le Seigneur ait préféré marcher ! »

Milton Berle

« L'église est un hôpital pour les pêcheurs et non pas un musée pour les saints… »

Abigail Van Buren

Un amateur de courses est intrigué par la manœuvre d'un prêtre qui bénit un cheval avant le départ. Surprise ! Le cheval bénit finit premier. Discrètement, il suit le prêtre et observe vers quel cheval sa bénédiction est dirigée. Chaque fois, il parie sur ce cheval et gagne ! Arrive la dernière course et l'enragé parieur mise tout sur le cheval bénit. Horreur ! Le cheval trébuche au départ : il est mort ! S'approchant du prêtre, il réclame des explications. Le prêtre hoche la tête et dit : « Voilà bien votre problème à vous, protestants, vous ne savez pas faire la différence entre une simple bénédiction et les derniers sacrements ! »

Milton Berle

Un prêtre, psychologue de profession, expliquait à qui voulait l'entendre : « Je suis un test-amant… Ma devise, c'est Satisfaction garantie ou talents remis… »

« Le chanoine s'est mis à la diète ?
– Oui, il passe ses journées sur les verts ! »

SAGESSE JUIVE

« Une chèvre a une barbe, mais ça ne fait pas d'elle un rabbin… »

« Il y a 70 façons d'étudier la Torah, l'une d'elles est en silence. »

Rabbin Tcharkover

« Dieu a créé l'emprise du mal, mais Il a aussi créé son antidote : la Torah… »

In le Talmud

« Traite-le comme un rabbin et surveille-le comme un voleur. »

« Ce n'est pas parce que tu es en colère contre le rabbin que tu dois refuser de dire Amen ! à la fin de la prière… »

« Ceux qui prient en araméen ne recevront nulle aide des anges : les anges ne comprennent pas l'araméen… »

« Toute femme de rabbin est une magicienne : comment peut-elle élever leur famille avec son salaire… ? »

« Notre rabbin est si pauvre que s'il ne jeûnait pas les lundis et jeudis, il mourrait de faim ! »

« Vous croyez que c'est un miracle quand Dieu fait selon la volonté du rabbin ? Nous pensons que c'est un miracle quand un rabbin fait la volonté de Dieu. »

« Un juif, sur une île déserte, construira toujours deux synagogues, de façon à ce qu'il y en ait une où ne pas aller… »

« Ne questionne pas Dieu. Il pourrait dire : "Si tu as tant besoin de réponses, monte ici !"… »

« Ma théorie, en bref, c'est que l'Univers a été dicté, mais pas signé. »

Christopher Morley

« Saviez-vous qu'en 1987, les Américains ont dépensé la même somme, soit 1,7 milliard de dollars, pour le Nintendo et le soutien aux missions du monde ? »

Sylvia Ronsvalles et R.D. Pasquariello

PETIT LEXIQUE

TABARNACOS : Les sacre-amants du Québec…

TALENT : « Un don que Dieu nous a fait en secret et que nous révélons sans savoir. »
Montesquieu

TEENAGER : « Idolescent… »
Roland Bacri

TERRE : « La balle de golf de Dieu. »
Captain Beefheart

THÉOLOGIE : « Cette science se pratique principalement aux environs de 17 heures, l'heure du thé au logis… »
Jean-Pierre Brisset

THÉOLOGIEN : « Quelqu'un qui s'est trempé au puits de toutes les connaissances et qui en est sorti sec… »
Colin Bowles

THÉORIE : « Boisson de bouddhistes… »
R. Bergeron

TIARE : « Gros bonnet… »
Marc Elbert

TOLÉRANCE : « C'est la charité de l'intelligence. »
Jules Lemaître

TOLÉRANCE : « Coquetterie d'agonisants… »
Cioran

TONNERRE : « C'est une affaire entre le diable et le bon Dieu. »
P. Gougaud

TOURISTE : « Il cherchait dans la Bible un bon restaurant en Palestine. »
Langanesi

TRAPPE (la) : « Cette Légion étrangère de Dieu. »
Paul Morand

TREMBLEMENT de TERRE : « C'est Dieu qui secoue la Terre et pour l'empêcher d'étouffer lui crie : Tousse ! … »
Richard Belzer

TRINITÉ : « Jamais Dieu sans trois… »
Roland Bacri

TROMPETTE : « C'est mon violon de Jéricho ! »
Boris Vian

« J'aime ces peuples jaunes et noirs qui n'ont jamais eu l'indécence ni l'indiscrétion de nous envoyer des religieux nègres ou chinois pour nous convertir à leurs dieux. »
Maurice Sachs

Cette fois, on est au stade des Yankees à New York. Le cardinal Spellman assiste au match de baseball opposant les Dodgers aux Yankees. Soudain, un frappeur cogne une haute chandelle qui tombe sur le genou du prélat. Le receveur Campanella s'approche de la loge et demande au cardinal s'il va bien. Ce dernier répond dans un sourire : «Aucun problème ! Les genoux, c'est la partie la plus forte de l'anatomie des gens d'Église !»

Un jeune prêtre sportif avait cédé aux demandes de ses amis en s'inscrivant à un concours pour surfeurs. Hélas ! pour lui, cette journée-là, une tempête gigantesque se pointa. Malgré tout son savoir-faire, il périt au milieu de vagues géantes. Il arriva donc ainsi au Ciel, tout trempé et pestant contre l'océan. Saint Pierre l'accueillit cordialement et lui offrit tout de suite un poste de conférencier. «J'ai trouvé mon sujet, dit-il au portier du Ciel. Je vais parler de la force de l'eau !» Saint Pierre l'avertit alors : «Attention… Noé sera dans l'assistance !»

«Dans le même *Almanac of Quotable*… cité plus haut, on mentionne que la religion protestante a maintenant accédé au gigantisme avec des mégatemples qui accueillent 2 000 personnes et plus en fins de semaine. On y carbure au *Pop Gospel*, à la *Fast-food Theology* et même au *McChurch !*»

«Je t'en prie, mon Dieu, prends bien soin de toi. Si quelque chose t'arrivait, on serait tous foutus !»

Ann Linder

M⊕NDE DE PR⊕VERBES

Proverbe allemand : « Quand Dieu donne du pain dur, il donne des dents solides... »

———◈———

Proverbe arabe : « Dieu envoie les pois chiches grillés à qui n'a pas de dents... »

———◈———

Proverbe birman : « Diffuse un psaume et il devient une chanson populaire. »

———◈———

Proverbe cambodgien : « Ne prends pas ta maison pour en faire un monastère, ne prends pas ta femme pour en faire un gourou. »

———◈———

Proverbe chinois : « Une parole venue du cœur tient chaud pendant trois hivers. »

———◈———

Proverbe coréen : « Le chien qui est entre deux monastères ne reçoit rien. »

———◈———

Proverbe italien : « Le Diable fait les pots, mais il ne fait pas toujours les couvercles. »

———◈———

Proverbe japonais : « Il n'est pas de monarque au pays de l'au-delà. »

———◈———

Proverbe malgache : « Nier l'existence de Dieu, c'est sauter les yeux fermés. »

———◈———

Proverbe polonais : « Le rabbin est mort, l'Écriture demeure. »

———◈———

Proverbe thaï : « Celui qui est sous le Ciel, comment peut-il craindre la pluie ? »

———◈———

Proverbe vietnamien : « Rassasié on devient Bouddha, affamé on devient un diable malfaisant. »

———◈———

Proverbe du Yémen : « Quand tu donnes une aumône, que ce soit du pain blanc... »

« Pourquoi Dieu n'a-t-il pas gratifié la femme de beaucoup d'humour ? Pour que nous puissions vous aimer plutôt que de rire de vous. » *Madame P. Campbell*

– La dame de l'Armée du Salut : « Avez-vous trouvé le Seigneur ? »

– Le badaud de Hyde Park : « Bon ! V'là qu'ils l'ont encore perdu ! »

Un rabbin canadien vantait son pays d'adoption auprès d'un collègue américain : « À Montréal, on a plus de cent mille Juifs et aucun n'est en prison ! » L'Américain sceptique de conclure : « Ouais, l'accès leur en est interdit ! »

Milton Berle

– Le père Bruckburger : « À cause de vous, je me suis brouillé avec la moitié de Paris ! »

– Jules Borkon : « C'est que l'autre moitié ne vous connaît pas ! »

Un plaisantin décide de s'amuser aux dépens du très mondain abbé Mugnier. Il fait : « Oseriez-vous embrasser cette dame ? » Et le spirituel aumônier des artistes de rétorquer : « Certainement pas... Elle n'est pas encore une relique ! »

« Il n'y a que le premier trépas qui coûte... » *Pierre Perret*

– Un journaliste : « Maître, craignez-vous la mort ? »

– Le pianiste Arthur Rubinstein : « Pas du tout, parce que je me suis familiarisé avec la mort... Comme pianiste, je suis toujours déguisé en croque-mort et face à moi, continuellement, j'ai un piano qui ressemble à un corbillard... Alors ! »

« Bien des gens croient qu'ils sont attirés par Dieu ou par la Nature alors qu'ils ne sont que repoussés par les hommes. »

Dean Inge

LE CIEL OU L'ENFER

« Je voudrais détruire l'enfer et le paradis afin que Dieu fût aimé pour Lui-même. »
Sainte Thérèse d'Avila

« Le ciel affiche complet, le purgatoire, de ce fait, aussi, reste l'enfer signalé par cinq fourches dans le *Guide Michelin*. »
Tristan Maya

« Est-ce qu'on peut arriver au Paradis une demi-heure avant que le Diable sache qu'on est mort ? »
George Bernard Shaw

« Il ne croyait pas nécessaire de faire un Enfer de ce monde-ci pour mieux apprécier le Paradis dans l'autre. »
William Beckford

Une faiseuse d'anges arrive en Enfer. « Surtout, lui dit le Diable, ici, abstenez-vous de toute activité ! »
Noctuel

« Connaissez-vous les trois grands maux de l'Enfer qui sont les enfants du froid ? L'éternuement, la toux et la diarrhée. »
P.J. Hélias

« Mon idée du Paradis, c'est d'être là, à manger du pâté de foie gras au son des trompettes... »
Sydney Smith

« Le feu de l'Enfer est un feu froid... »
Octavio Paz

Comme le poète Dante l'a déjà dit : « Les places les plus chaudes en Enfer sont réservées à ceux qui, en temps de crise morale grave, ont conservé leur neutralité. »
John F. Kennedy

« On voit plus de diables que l'immense Enfer peut en contenir. »
Shakespeare

« Le Diable ne dort pas avec n'importe qui. »
Stanislaw Jerzy Lec

Le célébrant arrive tout essoufflé pour la célébration d'un mariage. Apercevant un type bien mis, il lui demande : « Ah ! êtes-vous le jeune homme qui épouse ma nièce ce matin ? » Et le garçon d'honneur de répondre : « Non... ce n'est pas moi : j'ai été éliminé en demi-finale ! »
George Jessel

«Si je perds au jeu, je blasphème, et si mon partenaire perd, il blasphème; de telle sorte que c'est Dieu qui est perdant à tous les coups.»

John Donne

«Tu n'invoqueras pas le nom de Dieu avant d'avoir épuisé tous les mots de cinq lettres.»

W.C. Fields

«Je ne jure jamais le dimanche, mais demain, vous pouvez tous aller au Diable!»

Steve Allen

– Le pasteur: «La foudre est tombée sur un type qui sacrait… Étonnant, non?»
– Le maire: «Ce qui aurait été plus étonnant dans ce coin-ci, c'est qu'elle soit tombée sur un gars qui ne sacrait pas!»

– Le conseiller matrimonial: «Sous quel régime êtes-vous mariés?»
– La dame: «Eh bien, nous évitons les féculents et tous les plats en sauce…»

Mina Guillois

«Les plus belles andouillettes de ma vie, les gars, c'est ce jour-là! On avait l'impression de bouffer le bon Dieu!»

San-Antonio

– Le pénitent: «Pour être franc, j'ai peine à me trouver des péchés. Je ne bois pas. Je ne commets pas l'adultère. Je me couche chaque soir à huit heures et je vais à la messe tous les dimanches…»

MÉDECINES DOUCES

Fatigué, un cosmonaute est allé consulter un médecin. « Tu sais ce qu'il m'a prescrit ? », annonce-t-il à sa femme, « un régime sans ciel ! »
Noctuel

« Les maladies sont les essayages de la mort. »
Jules Renard

« Le meilleur remède que je connaisse contre le rhume, c'est de remercier le Ciel que ce ne soit pas la goutte. »
J. Billings

« La menace du rhume négligé est pour les médecins ce que le purgatoire est pour les prêtres, un Pérou. »
Chamfort

Grève de la faim : diète éthique…

Lorsque Dieu fit du mensonge un péché, il créa aussitôt une exception pour les médecins : « Apprenez à bien mentir pour mieux consoler. »
A. Soubiran

« Lorsqu'un pauvre mange du poulet, c'est que l'un d'eux est malade. »
Adage juif

« L'un des avantages d'être pauvre, c'est que le médecin vous guérit plus vite… »
K. Hubbard

« Qui veut faire un paradis de son pain fait un enfer de sa faim. »
A. Porchia

« Il n'y a rien comme des funérailles le matin pour aiguiser l'appétit pour le lunch ! »
Arthur Marshall

« La chair est faible et le fort est cher. »
Plume Latraverse

« Le secret de ma bonne santé, c'est ma tempérance. Je n'ai ni bu d'alcool, ni fumé le cigare avant l'âge de neuf ans ! »
W.C. Fields

« L'homme est bon, mais le veau est meilleur. »
B. Brecht

« La cuisinière anglaise est une folle qui devrait, pour ses nombreuses fautes, être changée en statue de sel, parce qu'elle ne sait jamais comment s'en servir. »
Oscar Wilde

« Jeanne d'Arc n'a pas été brûlée, ils l'ont fait cuire dans son armure, à feu doux… »
Jean-Marie Gourio

– Le confesseur : « Oui, mais… ça va peut-être changer vite tout ça, quand vous serez sorti de prison… »

Hervé Nègre

– Le sondeur : « Que feriez-vous si je vous apprenais que la fin du monde aura lieu dans un mois ? »
– Le sondé : « Je déménagerais à Toronto… Ils sont au moins cent ans en arrière là-bas ! »

« "Je ferai cela si Dieu le veut !" », disait un homme ; et cela n'avait aucun sens, car il n'avait pas encore demandé la permission à sa femme… »

Philippe Héraclès

« Comment peut-on savoir si Dieu est mort, on n'est même pas sûr de la mort d'Elvis ! »

Fred Metcalf

« Ma mère est juive, mon père est catholique. J'ai été élevé dans le catholicisme, mais avec un esprit juif… Quand je vais à confesse, je le fais toujours avec mon avocat ! »

Bill Maher

– La responsable de catéchèse : « Alors, pourquoi avoir enfoncé des clous dans les mains et les pieds de Jésus sur la croix ? »
– Le futur premier communiant : « Pour qu'y tienne ! »

« Si Dieu avait voulu que je cuisine et fasse le ménage, il m'aurait donné des mains en acier inoxydable ! »

– Le vicaire : « Faites-vous toujours du bénévolat, madame ? »

– La vieille dame : « Oui… je fais un peu d'arthrite pour la paroisse ! »

※

– La paroissienne : « Qu'est-ce que vous voulez que je fasse avec un prétendant qui se décrit comme un cadeau de Dieu ? »

– Le même vicaire : « Attendez pas le *Boxing Day*, échangez-le tout de suite ! »

※

– Le petit : « Pourquoi le pasteur a droit à un mois de vacances alors que papa a seulement trois semaines ? »

– Sa mère : « Vois-tu, si c'est un bon ministre, il en a besoin. S'il ne l'est pas, c'est la communauté qui en a besoin ! »

※

– L'écologiste : « L'eau a atteint un niveau de pollution effarant ! »

– La commère : « On est à la veille d'être obligé de baptiser au gin ! »

※

Il y a ce missionnaire en pays inuit qui se moquait gentiment de Brigitte Bardot en la décrivant comme « la défenseure de la pieuvre et de l'or félin »…

※

« Mourir pour une religion est plus facile que de la vivre pleinement. »   *Jorge Luis Borges*

※

– Le vicaire : « Vingt-cinq ans de mariage ! … Et avec le même homme ! … »

– La mère : « Erreur ! … C'est plus le même homme ! »

PETIT LEXIQUE

UBIQUITÉ : « Si Dieu est partout, le Diable, lui, choisit ses endroits. »
Albert Brie

URNE : « Pot de chagrin… »
Serge Mirjean

U.S.A. : « Seul pays du monde où les pauvres ont des problèmes de stationnement. »

UTOPIE : « Esprit de vain… »

VATICAN : « Un nœud de vicaires… »
André Frossard

VATICAN : « La chasuble gardée des hommes… »
Alain Stanké

VENDREDI SAINT : « Surnom que Robinson Crusoé donnait à son compagnon quand il faisait le ménage… »

VÉNIEL : « Point cardinal… »
G. Dussaussois

VERBIAGE : « Excès aux mots… »
Serge Mirjean

VERGER : « Pièce d'ameublement de toute église protestante… »
William Cooper

VESPASIENNE : « Le confessionnal du libre-penseur… »
Léon-P. Fargue

VIEILLESSE : « C'est l'été de l'éternité… »
Eugène Ionesco

VIN : « Les Anglais ont le pouvoir miraculeux de changer le vin en eau ! »
Oscar Wilde

VIRUS : « Mot latin qui signifie : *Votre diagnostic est aussi bon que le mien !* »
Anonyme

« Aux yeux de Dieu, nous sommes tous également sages et… également fous ! »
Albert Einstein

– La vieille dame : « Dites-moi, monsieur, est-ce que le train s'arrête à Chicago ? »

– Le contrôleur : « Oui, madame, à la condition que les freins fassent leur travail ! »

– La dame : « Et s'ils manquent, où va-t-on s'arrêter ? »

– Le contrôleur : « Ça dépend du genre de vie que vous menez ! »
Steve Allen

– La bonne sœur : « Toc toc… Nous passons pour les démunis… »

– L'Écossais : « Parfait… Glissez l'argent sous la porte ! »

C'est le semi-croyant qui croise un prêtre qu'il fréquente comme conseiller. « Ouais… j'y suis allé à Lourdes avec ma femme, mais il n'y a pas eu de miracle, je suis revenu avec ! »

Le ministre se confie à sa femme : « Je viens enfin de comprendre pourquoi il y a une baisse de consommation de drogues et une remontée de la pratique religieuse… C'est moins cher ! »
Robert Orben

« Plutôt dormir avec un cannibale sobre qu'avec un chrétien ivre… »
Herman Melville

– Le vicaire : « Donc, votre fils fait beaucoup de méditation ? »

– La mère : « Au moins, c'est mieux que de rester assis à rien faire ! »

« Dis la vérité à Dieu, mais donne de l'argent au juge. »
Dicton russe

SURN✪MS BÉNIS-OUI-OUI

ABBÉ PIERRE (l') : « Le Saint-Jean-Bâtisse » ou le « Saint-Vincent-des-Piaules » selon le *Canard enchaîné*.

———◆◆◆———

AQUINO, Corazon : « La Madone de Manille. »

———◆◆◆———

BACH, Jean-Sébastien : « Le cinquième Évangéliste. » *Mgr N. Söderblom*

———◆◆◆———

BARDOT, Brigitte : « L'abbé Pierre des animaux. »

———◆◆◆———

BLOY, Léon : « Saint-Jean Bouche d'Égout. »   *Laurent Tailhade*

———◆◆◆———

BREL, Jacques : « L'abbé Brel » selon Georges Brassens.

———◆◆◆———

CAPORAL LORTIE (le) : « Le *Deus ex machine-gun.* »

———◆◆◆———

DESROCHERS, Clémence : « Démence des Clochers ». *Jacques Normand*

———◆◆◆———

DION, Céline : « La Voix du bon Dieu » d'après feu Eddy Marnay.

———◆◆◆———

DOM PÉRIGNON : « Le "Moine-Soleil". »

———◆◆◆———

DUVAL, le père Aimé : « Le Guitariste du bon Dieu.»

———◆◆◆———

JEAN-PAUL II : « L'Athlète de Dieu » et le « Maradona de la Foi » !

———◆◆◆———

KHOMEINY, l'ayatollah : « Harrêtelà Teskonneries » selon Coluche.

———◆◆◆———

LÉGER, le cardinal : « Élan Mystique », son totem scout.

———◆◆◆———

MAURIAC, François : « L'Acide Ascétique » et « Saint-François des Assises ».

MICHEL ANGE : « Le Fou divin. »

———◆◆◆———

MOZART : « Le Luth de Dieu » selon Philippe Sollers.

———◆◆◆———

PAGANINI : « Le Violoniste du Diable. »

———◆◆◆———

PERON, Evita : « La Madone des sans-chemises. »

———◆◆◆———

SAINT JÉROME : « Le Notaire du Saint-Esprit » d'après Léon Bloy.

———◆◆◆———

WILLIAMS, Robin : « The Sacred Mountain » selon la tribu des Blackfoot du Montana.

Le curé, appuyé par ses marguilliers, a décidé de fleurir son église pour Pâques. Les prix sont élevés, hélas ! Un fleuriste catholique et un autre, protestant, soumissionnent à 300 $ et à 250 $. Finalement, c'est le fleuriste Goldberg qui l'emporte à 200 $. Ce rusé Goldberg en met plein la vue et laisse innocemment un petit écriteau devant un bouquet somptueux : « Jésus est revenu, mais Goldberg n'est jamais parti ! » *Ben Eliezer*

« Bénarès est à l'est, la Mecque à l'ouest, mais explore ton propre cœur, car il y a là et Rama et Allah. » *Kamir*

« C'est le pasteur anglican qui s'arrangeait toujours pour faire son sermon aux alentours de midi. Vers cette heure-là, le train passait dans un délire de coups de sifflet. Ses ouailles firent circuler une pétition demandant au chef de gare un changement d'horaire : le passage du train les réveillait ! » *Steve Allen*

« Je tire profit de toute religion, je ne voudrais pas manquer mon avenir pour un simple détail technique ! » *Bob Hope*

– Louis Seigner : « Dieu a rappelé ma femme à Lui… »
– Louis Jouvet : « Il s'ennuyait sans elle ! » *Le Revenant*

« Un jour, c'est la jambe droite qui me fait mal, un autre jour, la jambe gauche ! Merci mon Dieu de ne pas avoir fait de moi un mille-pattes ! » *Brendan Behan*

« Demandons à la Providence de nous éviter les *acts of God* non remboursables par les assureurs ! »

Une de mes connaissances vient de m'avouer qu'elle s'est jointe à une secte plus tolérante et plus libérale que le catholicisme. Cette nouvelle église propose cinq commandements et cinq suggestions !

« Il avait la foi surtout en ce sens que l'église qu'il ne fréquentait pas régulièrement était catholique. »

Kingsley Amis

« À part quelques mots bizarres en hébreu, je suis convaincu que Dieu n'a jamais parlé qu'en anglais très relevé. »

Clarence Day

« Les Israéliens viennent enfin de déchiffrer un manuscrit de la mer Morte : c'était l'addition pour la Dernière Cène… »

Milton Berle

« Le pape s'adresse à ses principaux adjoints : "Mes chers frères, je vous apporte une bonne et une mauvaise nouvelle. Je débute avec la bonne. Je viens tout juste de recevoir un message sur Internet de la part du Christ : il est redescendu sur Terre ! Mais, la mauvaise nouvelle, c'est que ce courriel m'est parvenu de Salt Lake City ! »

Monseigneur Geno Baroni

« La bonne nouvelle, c'est que Jésus est revenu. La mauvaise, c'est qu'il est en beau… ! »

Bob Hope

« C'est Dieu qui a fait les poètes et les artistes. Il fallait bien rendre le monde logeable ! »
Le marquis de Mirabeau

« Nous faisons à notre image le prêtre de notre temps. Nous répondrons de lui comme il répondra de nous ! »
Victor Hugo

« Facile de reconnaître Judas dans les toiles montrant *La dernière Cène* : c'est celui qui demande des additions séparées… ! »
Robert Orben

« Finissez-en avec tout ça ! Dites que le Créateur a fabriqué l'Italie d'après des esquisses de Michel Ange ! »
Mark Twain

Raphaël est en train de mettre les dernières retouches à l'une de ses fresques quand deux cardinaux se pointent. L'un fait : « Votre saint Paul est un peu trop rougeaud. » Et le peintre d'expliquer : « C'est la gêne de voir entre quelles mains l'Église est tombée ! » *Edmund Fuller*

Picasso, apprenant que le ministre André Malraux a décidé de faire blanchir les façades des monuments parisiens, se serait écrié : « Épatant ! On va pouvoir peindre le Sacré-Coeur de Montmartre en noir ! »
F. Biron et G. Folgoas

« Sans la Bible et Mozart, la vie ne vaudrait pas la peine d'être vécue ! »
Marc Chagall

Mgr Pandolfo Pucci avait été surnommé Mgr Salade par le célèbre peintre Caravaggio qu'il employait pour décorer des églises. Le surnom lui venait de son habitude, peu prisée par l'artiste, de payer en nature…

– Un prêtre : « Réjouissez-vous, mon fils, vous allez bientôt voir Dieu face à face… et cela, l'éternité durant ! »
– Le vieux portraitiste : « Toujours de face… ? Jamais de profil… ? »

À quelqu'un qui vérifiait auprès de lui si *Le Génie du christianisme* était bien l'une de ses œuvres, Chateaubriand précisa : « Et ce n'est pas une autobiographie ! »

« La nature est une œuvre d'art, mais Dieu est le seul artiste qui existe, et l'homme n'est qu'un arrangeur de mauvais goût. »
George Sand

Un jaloux demande à François Mauriac s'il avait vu la rutilante Cadillac de Daniel-Rops. Et le romancier de répondre : « C'est déjà bien, non ? Parce qu'il y a quatre évangélistes, comme vous le savez. S'il y en avait eu cinq, ce serait une Rolls ! »

« Je n'ai jamais compris pourquoi il serait dérogatoire aux convenances envers notre Créateur de supposer qu'Il a le sens de l'humour… ! »

William Ralph Inge

– Un courtisan : « Monseigneur de Talleyrand dit sa messe tous les matins ! »
– Un proche : « Des messes basses, oui ! »

« Je n'ai jamais rencontré, de toute ma vie, quelqu'un qui supporte aussi bien les malheurs des autres qu'un chrétien. »

Alexander Pope

« Les paroissiens n'avaient que des éloges pour leur nouveau pasteur… si l'on se fie à ce qu'ils ont donné à la quête… »

Milton Berle

« On parle toujours du feu de l'enfer, mais personne ne l'a vu… ! L'enfer, c'est le froid. »

Bernanos

Le réceptionniste de l'Enfer est anglophone : il répond toujours « Hell-O ! »

« Selon les Anglais, l'Enfer est un endroit où les Allemands sont policiers, les Suédois comédiens, les Italiens en charge de la Défense, les Français à l'entretien des routes, les Belges pop stars, les Espagnols aux chemins de fer, les Turcs en cuisine, les Irlandais serveurs, les Grecs à la tête du gouvernement et la langue commune, le hollandais ! »

D. Frost et A. Jay

PETIT LEXIQUE

WAGNÉRIEN : « Tout ce qui est wag n'est rien… »   *Jacques Normand*

« **WALPURGISER** » : le mot vient du nom d'une sainte anglaise morte en Allemagne, qui a *inspiré* des fêtes païennes nocturnes !

Jean Lorrain

« **WATER-MOLLO** » : partisan de la modération dans l'utilisation de l'eau pour la cérémonie du baptême…

W.C. (les) : *(water-closet)* « Nous fîmes officiellement don de nos w.c. à la commune. Ils furent solennellement ouverts au public lors d'une cérémonie toute simple au cours de laquelle le curé pria le Seigneur de rendre nos efforts fertiles… »   *Peter Ustinov*

XÉNOPHOBIE : « Les étrangers qu'on préfère, c'est les étrangers de couleur, parce qu'on les repère de loin. »   *Charlélie Couture*

« Comme pour la religion chrétienne, la pire publicité pour le socialisme est dans ses adhérents ! »   *George Orwell*

« Nous sommes tous des enfants dans une immense école maternelle où nous essayons d'épeler le nom de Dieu avec des cubes marqués d'un alphabet qui ne convient pas ! »   *Tennessee Williams*

« … Des églises infimes qui pouvaient contenir 10 paroissiens, un curé et un petit Bon Dieu… »

Gilles Lapouge

Note du Bon Dieu : « Il n'y a que des livres pour m'avoir fait dire : "Croissez et multipliez-vous !" De mémoire cosmique, je n'ai jamais rien conseillé de semblable. »

Pierre Daninos

« Si Dieu m'avait fait l'honneur de me consulter, je Lui aurais conseillé de placer les rides des femmes sous le talon. »

Ninon de Lenclos

« Un ministre du culte, constatant le manque de générosité de ses ouailles, eut cette brillante idée. "Frères et sœurs, dit-il lors de l'office, avant que nous fassions la quête, j'aimerais donner cet avertissement : que celui ou ceux qui ont été mêlés au vol de poules chez notre frère le boucher ne versent rien dans le plateau. Dieu ne veut pas des fruits du vol !" Il connut un succès... BŒUF ! »

Steve Allen

« La preuve que Dieu est l'ami des joueurs de boules, c'est que les feuilles de platane sont proportionnées à la force du soleil. »

Marcel Pagnol

« Un Écossais a fait un don important à une communauté des environs. Le lendemain, toutefois, on frappe à sa porte et un représentant lui dit, plein de gêne : "C'est au sujet du chèque généreux que vous nous avez remis... Vous avez oublié de le signer." Et l'Écossais, nullement démonté, précise alors : "Ce n'est pas une erreur, c'est même voulu ! C'est qu'en matière de générosité, je tiens à rester discret !" »

Hervé Nègre

⊖N EST... à SECTES !

Devise du Renouveau Informatique Chrétien : « Cédez, Rome ! »

« Le problème avec les *Born Again Christians*, c'est qu'ils sont encore plus insupportables à leur deuxième visite ! »   *Herb Caen*

« Prenez garde, vous, les prêcheurs ennuyants ! Vous pourriez favoriser la naissance d'une nouvelle secte : les *Bored Again Christians* ! »   *Collins*

« La tragédie pour la secte des Mormons, c'est qu'une seule mort peut faire une douzaine de veuves. »   *Cité par Gerald F. Lieberman*

Quand les Mormons sont arrivés dans l'Ouest, leurs éclaireurs firent rapport à Brigham Young, leur fondateur, en disant : « Nous avons trouvé un lac fantastique ! C'est une Terre promise où l'on devrait s'établir pour pêcher et nous multiplier ! » Le fondateur prudent ordonna alors : « C'est bon... mais salez le Lac ! »   *Steve Allen*

« La prolifération des sectes : un Sauveur n'arrive jamais seul... »   *R.T.*

« Voulez-vous devenir Témoin de Jéhovah ?
– Je ne peux pas, j'ai même pas vu l'accident ! »

« Les Anglais ont soixante sectes et une seule sauce. »   *F. Caraccioli*

Un ashram tout neuf organise une petite fête d'inauguration. C'est ainsi que les gens des environs ont reçu une invitation pour un *cinq ascètes...* !

« Nous venons de fonder une nouvelle Église. Elle est encore sans dénomination, mais nous acceptons les billets de 20, 50 et 100 dollars, tout ce que vous avez ! »   *Eileen Mason*

On vient de créer une nouvelle secte appelée les Spectateurs de Jéhovah... C'est fait pour les Témoins qui ne veulent pas trop s'engager...

« Le bon disciple est celui qui s'enrhume quand son maître éternue. »   *Léonce Bourliaguet*

« J'appartiens à une secte réformée, on l'appelle *JEWS R' US...* »   *Dennis Wolfberg*

« Je suis inculte parce que je n'en pratique aucun et insecte parce que je me méfie de toutes. »   *Raymond Queneau*

« Sectes : groupes dirigés par des maîtres à ne pas penser. »   *Michel Lauzière*

« Non seulement Dieu joue aux dés, mais parfois aussi,
Il les lance là où personne ne peut les voir… »

Stephen W. Hawking

« Dieu veille sur la Suisse ! C'est pas fatigant. »

Lova Golovtchina

« Nous étions pauvres. Nos voisins l'étaient. Toute la
paroisse aussi. Les jours de tombola, nous recevions la
seule diseuse de bonne aventure qui lisait l'avenir dans
du Kool-Aid ! »

R. Orben

En parlant d'une Juive convertie : « Il y a à peine huit
jours qu'elle connaît la Sainte Vierge, et elle l'appelle
déjà Marie ! »

Forain

Un évêque compatissant va visiter un de ses bénévoles
dévoués à l'hôpital. Il trouve un patient fort mal en
point, hyper branché à toutes sortes de transfusions.
Plus il s'approche du malade, plus celui-ci multiplie les
signes et les borborygmes. L'évêque met ça sur le
compte de la surprise et de l'émotion que suscite sa
visite. Le malade râle tellement que l'évêque croit qu'il
veut lui confier quelque secret. Il approche son oreille
de la bouche du mourant et s'entend dire : « Monsss…
seigneur, enlevez votre pi… pied du TUYAU ! »

« S'il y a tant d'églises à Paris, c'est pour permettre aux
piétons d'entrer faire une prière avant de traverser
la rue. »

Art Buchwald

« Il ne faut pas tenter les saints, à plus forte raison ceux
qui ne le sont pas… »

Proverbe italien

« C'est embêtant, dit Dieu. Quand il n'y aura plus ces Français, il y a des choses que Je fais, il n'y aura plus personne pour les comprendre. »

Charles Péguy

🦃

Une bonne sœur quête pour les œuvres du diocèse. Elle entre dans un bureau de tabac tenu par un Auvergnat. « C'est pour l'évêché ! », dit-elle. « Ch'est au fond, à droite », répond le patron.

Jean Peigné

🦃

« Aimez-vous les uns les autres », a dit le Christ, « mais il n'a pas interdit les préférences. »

🦃

« Tu aimeras ton prochain comme toi-même, mais choisis-le bien ! »

Louise Béal

🦃

« Il est fort, l'homme qui dispose de quelques millions. Mais il est redoutable, l'homme qui n'a pas de besoins, qui n'a pas de crainte et qui garde une âme ferme, une pensée lucide, l'œil juste et la main prompte. Restez pauvres ! »

Urbain Gohier

🦃

Gaston Leroux avait un tour de taille assez voyant. Il aimait à dire : « Dieu m'a créé pour savoir jusqu'où peut aller la peau humaine ! »

🦃

« Mon Dieu, donnez-moi des ailes », implorait le petit poisson. Et à l'instant, il fut exocet.

Pierre Ferran

🦃

« Sainte Clémence, que viennent vite les vacances ! Sainte Marie, faites qu'elles soient infinies ! »

Maurice Carême

JADIS, MAINTENANT
ET TOUJOURS...

« C'est toujours maintenant et à chaque heure toujours. » *Octavio Paz*

« Le passé est mort. L'avenir n'est pas encore né et le présent n'en a pas pour longtemps… » *Albert Brie*

« Passé : la semaine des quatre jadis… » *Noctuel*

« Jadis : le temps où *L'Eau Bénite* n'était pas une bière artisanale…» *R.T.*

« Comment vivrez-vous l'éternité ? Fumeur ou non-fumeur ? »

« Tout homme a deux ennemis : le passé et l'avenir. Et le plus grand cadeau que Dieu lui fait, c'est le présent. » *Gilbert Cesbron*

« Je prends ce que je peux prendre d'éternité. » *D. Kosztolanyi*

« Comme si on pouvait tuer le temps sans insulter à l'éternité. » *Thoreau*

« La seule différence entre le saint et le pécheur, c'est que chaque saint a un passé et chaque pécheur, un futur. » *Oscar Wilde*

« Il reste peu de temps. L'éternité continue de nous menacer. » *S.J. Lec*

« Ce jour présent est le seul point de l'éternité auquel vous ayez droit. » *Bourdaloue*

« Il y a un proverbe qui prétend que ce qui est différé n'est pas perdu. […] Qu'on tienne ce langage en paradis, […] c'est à merveille; il sied à des gens qui ont devant eux l'éternité de jeter le temps par les fenêtres. Mais nous, pauvres mortels, notre chance n'est pas si longue. » *Musset*

« Le temps des hommes est de l'éternité pliée. » *Jean Cocteau*

« Les gens qui se font incinérer s'imaginent que, réduits en cendres, ils échappent à Dieu. » *Jules Renard*

« Autrefois, il y avait des miracles et maintenant, nous avons le gaz. » *Giraudoux*

« Si le Christ revenait de nos jours, il y a une chose qu'il ne voudrait pas être, c'est un chrétien ! » *Mark Twain*

« Si vos prières ne sont pas exaucées, c'est que la réponse est NON ! »

Milton Berle

« Avec raison, sous cet ombrage,
   On a fait des tombeaux aux chiens,
   Car s'ils n'avaient parfois la rage,
   Ils vaudraient mieux que des chrétiens. » *Théophile Gautier*

« Pour ce qui est des inscriptions lapidaires, un homme n'est pas sous serment. »

Samuel Johnson

« Pour bien prouver sa ferveur, un veuf avait fait graver sur la tombe de sa femme : Ma flamme s'est éteinte ! Quelque temps plus tard, il décidait de convoler à nouveau et prenait conseil auprès d'un évêque de ses amis : "Devrais-je faire enlever cette phrase gênante sur le monument de mon ex-femme ?" Plein de sagesse, le prélat lui suggéra de faire plutôt ajouter la précision suivante : "J'ai allumé une autre allumette !" »

Edmund Fuller

Le peintre Greuze, bouleversé par la Révolution, disait : « Je n'entends plus rien aux saisons. Sommes-nous en ventôse ou en germinal ? Est-ce aujourd'hui Saint-Pissenlit ou Sainte-Asperge ? »

« C'est maintenant le temps de remercier mes quatre scripteurs : Jean, Luc, Marc et Matthieu… »

Mgr Fulton Sheen

« L'église est un lieu où des prêtres qui n'ont jamais été au paradis font des sermons à des gens qui n'iront jamais non plus ! »

Henry I. Mencken

«Achetez une âme neuve ! Celle que vous avez ne suffirait pas à un chien malade. »
Chesterton

«Messe de minuit à la Salle Léon-Curral à 15 et 22 hres. »
Dauphiné Libéré

«Le temps d'acquitter la dîme est arrivé. Nous honorons les cartes de crédit, mais nous n'acceptons que du comptant ! »

Lu sur un livre de pensées édifiantes : «50 % de matières grâces et 50 % de matière grise… »

Dans un bazar d'articles religieux : «Les enfants sont autorisés à ne pas toucher… »

À la porte d'une salle paroissiale où l'on présente du cinéma pour les enfants : «Les enfants de moins de 12 ans doivent être accompagnés… de leur portefeuille. »
James Dent

Dans un semainier paroissial : «Ménage presque sans enfants cherche trois pièces à louer. »
M. et A. Guillois

À la porte du bazar annuel de la paroisse : «Entrez déjeuner ici avant d'aller manger ailleurs… »

À l'entrée d'un presbytère isolé : «Attention au chien ! Les survivants seront poursuivis ! »

Près d'un musée consacré aux armes à feu : «Nous n'avons pas l'arme qui a servi dans l'attentat contre Jean-Paul II. Deux autres musées l'ont ! »

À la porte d'une église presbytérienne : «This is a Ch-ch. What is missing ? (UR = you're…) »

Affiche sur un mur d'église : «This church is prayer-conditioned. »

Dans un *fortune cookie* : «Tu rends Dieu malade ! »
Rick Reynolds

Sur une route du Connecticut : «Drive like Hell, and you'll get there ! »

«Armée du Salut recherche individu louche pour servir la soupe populaire… »
Pierre Dac

« Le ministre harangue sa communauté ainsi : "Frères et sœurs, j'ai préparé un sermon à 50 $, un autre à 20 $ et un troisième à 10 $… Nous allons d'abord faire la quête et voir ensuite lequel ce sera…" »

« Elle déguisait si religieusement ses péchés que le Diable avait peine à les reconnaître ! »   *George Farquhar*

Deux collèges catholiques disputaient un match très serré. Un quart-arrière se mit à prier à voix haute. Soudain, une voix d'en haut lui fit écho : « S.V.P., ne me mêlez pas à ça ! ! ! »

Un mendiant frappe à la porte du rabbin. Celui-ci lève les bras au ciel : « Tu tombes mal, mon z'ami… Je ne peux rien te donner : je viens de marier ma fille et je lui ai donné tellement d'argent qu'il ne m'en reste plus ! » Le mendiant lui jette un œil torve : « Tu aurais pu lui donner son argent, mais pas le mien ! »

« Il y a des êtres à travers qui Dieu m'a aimée… »
M. Yourcenar

L'acteur François Périer a fait ses débuts très jeune : il jouait l'enfant Jésus pour une Nativité, alors que sa mère était Marie et son propre père, Joseph. « Quand j'ai aperçu mon père, je me suis mis à crier : "Papa ! … C'est papa !" On devine l'effet que cet impair a pu avoir sur certains étroits d'esprit devant lesquels je venais de contredire les bases mêmes de leur croyance ! »

PETIT LEXIQUE

YIPPIE : « Provocateur sans foi ni cravate, partisan d'un *self-service* généralisé et gratuit. »
Georges Elgozy

YOGA : « Philosophie permettant à ceux qui la pratiquent de se sentir bien dans leur ascète… »
Noctuel

YOM KIPPUR : « Pour vivre heureux, vivons casher. »
Jacques Pater

YOUPEE : « Petit juif heureux… »
Patrick Coppens

Z : « Saint-Sy. »
Pierre Véron

« ZAPPÔTRES » : Parents qui veillent à ce que leurs enfants ne voient pas n'importe quoi à la télé…

ZÈLE : « Mettre la chasuble devant les vœux… »
Anonyme

ZÈLE : « N'est-il pas honteux que les fanatiques aient du zèle et que les sages n'en aient pas ? »
Voltaire

ZÉRO : « Se peint parfois au-dessus de la tête des anges… »
Lichtenberg

ZEUS : « The god of wine and whoopee ! »
Garrison Keilloc

« Nous avons juste assez de religion pour nous pousser à haïr, mais pas assez pour nous enjoindre de nous aimer les uns les autres. »
Jonathan Swift

« Même un adepte de la politesse préfère un bonjour désinvolte au salut éternel… »
Servane Prunier

Le grand patron de Coca-Cola vient de décrocher une audience papale. En bon Américain, il va droit au but : « Saint-Père, je vous donne 100 000 $ si vous acceptez qu'on change les paroles du Notre Père et qu'on dise "Donnez-nous notre Coke quotidien !" » Le pape, outré, lui tourne le dos ! « Je vous le fais à un million ! Sortez immédiatement ! » Des gardes suisses l'expulsent *manu militari*. Le patron mercantile demande à la ronde : « Est-ce qu'il y a quelqu'un qui sait combien les boulangeries ont dû payer pour leur pub ? »

Un comité paroissial s'est réuni pour faire le portrait du pasteur qu'il souhaitait avoir. Le résultat du sondage donnait ceci : « Il doit avoir l'humilité d'un saint, les habiletés administratives d'un patron, l'éloquence d'un orateur fascinant, le savoir d'un psychiatre comme conseiller et les exigences salariales d'un éléphant, c'est-à-dire travailler pour des *peanuts* ! »

R. Orben

Allé inspecter la Terre, un ange revient au Ciel. « Ça y est, annonce-t-il, le théâtre est inventé ! Ève vient de faire une scène à Adam ! »

Noctuel

Deux anges sont en train de dire du mal d'un troisième ange, lorsque celui-ci survient. Et comme ils se taisent aussitôt, un quatrième ange remarque : « Tiens ! un homme passe… »

Noctuel

« Le bien d'autrui, tu ne prendras
« Qu'en mariage seulement… »

Pierre Weber

SPORTS et LOISIRS...

« Le sport, c'est la messe du corps. »

Attribué à Salvador Dali

– Un golfeur : « Je remuerais ciel et terre pour réussir le par sur ce trou ! »
– Son partenaire : « À ta place, j'essaierais le ciel, parce que la terre, tu l'as remuée amplement jusqu'ici ! »

– L'apprenti golfeur : « Dites, l'abbé, est-ce péché de jouer le dimanche ? »
– L'abbé-golfeur : « De la façon dont tu joues, c'est péché tous les jours ! »

Le même abbé-golfeur s'était empêtré dans une trappe de sable. Coup après coup, rien n'y faisait. Exaspéré, il se tourna vers ses partenaires et hurla : « Dites donc, vous êtes laïcs vous autres... Il y en pas un qui pourrait trouver les mots appropriés à ma place... ? »

« Si je pouvais mourir en jouant au tennis, je remercierais le Ciel du fond du court... »

Pierre Daninos

« Un athée, aurait dit Eisenhower, c'est quelqu'un qui regarde un match entre Notre-Dame et la Southern Methodist University et qui se fout complètement des résultats... »

« Le pasteur était tellement moche comme voltigeur qu'il n'aurait même pas attrapé un rhume en Sibérie ! »

Il n'y a qu'en Amérique qu'on puisse voir une trentaine de Cardinaux occupés à attraper des chandelles...

L'équipe de Saint-Louis...

« À chaque saint sa chandelle. »

Proverbe de Sainte-Lucie

« C'est pas tous les jours dix manches... »

R.T.

Le gardien de buts de l'équipe de soccer universitaire a invité ses coéquipiers à une *garden party* chez lui. On a demandé au coach de réciter le bénédicité, ce qu'il a fait avec cette jolie finale : « In the name of the Father, the Son and the goalie host... »

Jeff Rovin

« Jouer au billard aide à raffermir la main et à contrôler le caractère. C'est une récréation idéale pour nos dévouées religieuses. »

L. Barbarito

– Le frère provincial : « Avez-vous au moins un exercice physique quotidien ? »
– Le frère centenaire : « Ah ! ça oui ! ... La recherche de mes lunettes ! »

« Je ne peux pas croire que Dieu joue aux dés avec le cosmos ! »

A. Einstein

Dans un cirque, l'une des attractions repose sur la poigne d'un homme fort qui presse un citron dans sa main de fer et défie n'importe qui d'en tirer une goutte de plus ! Il y a un enjeu de 50 $… Un petit homme chétif se présente et dit vouloir relever le défi. Il presse le citron compressé et rugit de satisfaction quand une goutte en sort. Stupéfaction chez le colosse qui le provoque en lui offrant quitte ou double s'il peut en tirer une autre goutte. Nouveau cri de triomphe, le petit homme réussit ! Les 100 $ versés, l'homme fort s'enquiert : « Où avez-vous appris ? … En faisant quoi au juste ? » Suave, le petit homme explique : « Je suis un ancien président de la campagne de Centraide ! »

Isaac Asimov

Savez-vous ce qui bouleverserait vraiment ce monde ? Qu'un archéologue trouve une autre Table de la Loi disant : « Oubliez les dix autres commandements… ! »

Robert Orben

Du même Orben : « Ne vous plaignez pas ! Le monde pourrait être pire qu'il ne l'est. Imaginez si Moïse, qui écrivit les dix commandements, avait été médecin et que personne n'ait pu déchiffrer ses mots ! »

« Il y a des croyants qui ne sont pas pratiquants, puis il y en a qui croient parce que c'est plus pratique. » *Coluche*

« Drôle de peuple que le peuple français ! Il ne veut plus de Dieu, plus de religion, et vient-il de débondieuser le Christ, il bondieuse Hugo et proclame l'hugolâtrie. »

Les frères Goncourt

JUGEMENTS DERNIERS

« N'attendez pas le jugement dernier, il a lieu tous les jours. » *A. Camus*

« Notre résurrection n'est pas tout entière dans le futur, elle est aussi en nous, elle commence, elle a déjà commencé. » *P. Claudel*

« Nous savons que nous sommes une petite nation (la Finlande), mais nous savons aussi que la grandeur d'une nation au jugement dernier équivaudra à la grandeur moyenne de ses citoyens. »
Frans Eemil Sillanpää

« Dieu juge selon l'amour, les hommes avec malice. » *Johan Falkberget*

« On laisse son corps derrière soi, dans une boîte, et dès l'arrivée aux portes du Paradis, on reçoit un talon de vestiaire. Ceci atteste de votre droit à réclamer votre corps au jour de la Résurrection. »
Alan Coren

« Ce qu'on peut espérer de mieux du Jugement dernier, c'est une sentence suspendue… » *Edmund Fuller*

« Depuis que le carême est une curiosité archéologique, le cholestérol et la cellulite ont remplacé la peur du Jugement dernier. » *C. Gagnière*

« Dieu punit l'homme de ses fautes en le laissant vivre. » *X. Forneret*

« C'est ainsi, je pense, que périra le monde : dans la joie générale des gens spirituels qui croiront à une farce… » *S. Kierkegaard*

« Quand je songe à la justice de Dieu, j'ai peur pour mon pays. »
Thomas Jefferson

« Enfer chrétien, du feu. Enfer païen, du feu. Enfer mahométan, du feu. Enfer hindou, des flammes. À en croire les religions, Dieu est né rôtisseur. » *Victor Hugo*

« Dans le cas peu probable où la fin des temps serait indéfiniment reconduite, nous dirons, en consolation, que la noblesse de l'homme est de poser des questions sans réponse. » *Jacques Perret*

« L'Internationale sera le genre humain, mais pas tout de suite, mais bien plus tard, mais à la fin de l'histoire, pour n'affoler personne : car elle est bien élevée, l'Internationale… » *Jankélévitch*

Un créancier demandait à l'écrivain irlandais Richard Sheridan quand il allait le payer. Ce dernier lui fit une réponse amusante : « Au Jugement dernier, mon cher ! … Et puis, réflexion faite, comme ça risque d'être une journée très occupée, je vous paierai le lendemain ! »

Un *clergyman* vient de subir toute une raclée au golf. Il est très humilié : son adversaire a 30 ans de plus que lui ! Ce dernier tente de lui remonter le moral : « Ne vous en faites pas ! Vous allez bientôt m'enterrer ! » Et le prêtre d'abdiquer : « Un autre trou en votre faveur ! »

Lewis et Faye Copeland

« Chers paroissiens, priez très fort pour le succès de notre bazar. Parfois, Dieu est dur d'oreille… »   *Neil Boyd*

« Judaïsme : religion des juifs fondée sur la croyance en un Dieu unique, ce qui la distingue de la religion chrétienne qui s'appuie sur la foi en un seul Dieu et, plus encore de la religion musulmane, résolument monothéiste. »

Pierre Desproges

« Le monothéisme est plus répandu que la monogamie parce qu'il est plus facile de se contenter d'un seul Dieu que d'une seule femme… »

R. Gervaso

– La reine Élisabeth de Belgique : « Dites-moi, êtes-vous catholique ? »
– Le chef du protocole polonais : « Croyant oui, mais non pratiquant. »
– La reine : « Sans doute parce que vous êtes communiste ? »
– Le diplomate : « Pratiquant oui, Majesté, mais non croyant ! »

Robert Brisebois

Il y a le petit qui a revêtu son pyjama et s'apprête à gagner sa chambre pour la nuit. Il lance alors à la ronde : « Hé ! Je m'en vais faire ma prière… Quelqu'un a besoin de quelque chose… ? »

« Dans la jungle, un jour, s'aventure
  Un curé. Le tigre survient.
  "Prions", se dit l'abbé. "Seigneur, je t'en conjure,
  Fais que ce tigre soit chrétien."
  Comment le Très-Haut se débrouille,
  La chronique n'en parle pas.
  Le fauve en tout cas s'agenouille :
  "Seigneur, dit-il, bénissez ce repas." »

Jean-Luc Moreau

Lincoln aimait cette histoire d'un aéronaute dont le ballon, plus ou moins maîtrisé, avait atterri dans un champ de coton où des esclaves noirs travaillaient. Effrayés, tous les esclaves s'enfuirent dans les bois, sauf… un bon vieux qui s'approcha de la nacelle et dit à l'aéronaute : « Bonjou Missié Jésus ! Comment va votre papa ? »

Edmund Fuller

Une enseignante du Minnesota profite de la fête de l'Action de Grâces pour demander à ses élèves s'ils ont une raison à eux de remercier le Bon Dieu. Un enfant suggéra ceci : « Merci mon Dieu de ne pas être une dinde ! »

Reader's Digest

C'est sans doute le même petit qui, lors de sa première visite à l'église, s'étonna beaucoup de voir tout le monde se mettre à genoux en même temps. Il demanda à sa mère : « Pourquoi ils font ça ? » La maman expliqua : « Ils vont faire leur prière… » Et dans sa logique, le garçonnet fit remarquer : « Ils ont même pas mis leur pyjama ! »

BÊTES À BON DIEU...

« La bête a bon Dieu... »   *R.T.*

« Les bêtes, le baptême mis à part, sont comme les gens. »
                                                    Adage savoyard

« Les animaux n'ont qu'un défaut : c'est de faire de l'homme un dieu.
Athées, ils seraient parfaits ! »   *Charles Derennes (le bien nommé...)*

« Qui donne aux fauves prête à Dieu... »   *Philippe Mignaval*

« Le singe est le pied de nez de Dieu à la race humaine... »
                                                    H.W. Beecher

« Si la religion se fonde sur le sentiment, c'est le chien qui est le
meilleur chrétien. »   *Hegel*

« L'éléphant se sert de sa trompe pour boire, Dieu lui a pas donné
pour porter les commissions ! »   *J.-M. Gourio*

« Depuis quand croyez-vous en la réincarnation ?
– Depuis que je suis toute petite gerboise... ! »

Escargot : « Minime ruban métrique avec quoi Dieu mesure la
campagne. »   *J.C. Andrade*

« Qui voit le ciel dans l'eau voit les poissons sur les arbres. »

« La raison pour laquelle les mouches peuvent voler et nous pas, c'est
tout simplement qu'elles ont une foi parfaite, car avoir la foi, c'est
avoir des ailes. »   *Sir J.-M. Barrie*

Un bon Juif regarde Jean-Paul II descendre de sa pape-mobile. « T'as
vu, Moshé, ça c'est une affaire profitable ! Tu sais qu'ils ont
commencé avec un âne... ! »

« Si vous menez un âne loin, et même à la Mecque, il n'en reviendra
jamais qu'un âne. »   *Adage turc*

« Pauvre comme une souris d'église... »   *Dicton anglais*

Un enfant : « Un lion qui a mangé un missionnaire va-t-il au Ciel ? »

« God in His wisdom made the fly
  And then forgot to tell us why. »   *Ogden Nash*

« Les cheveux gris sont les graffitis de Dieu. »

Bill Cosby

———◈———

« Dieu n'est pas mort. Il est vivant et s'affaire à un projet moins ambitieux. »

———◈———

« Dieu est vivant. C'est juste qu'Il ne veut plus s'impliquer... »

———◈———

« Dieu n'est pas mort. Il est vivant et dédicace des Bibles pour L'Armée du Salut. »

———◈———

« Jésus est vivant – Darwin survit. »

———◈———

« L'alcool est votre ennemi ! » (et l'ajout suivant : « Pourtant la Bible nous dit d'aimer nos ennemis ! »)

———◈———

« Je suis athée : je ne crois pas en Zeus ! »

———◈———

« Les vaches sacrées font d'excellents hamburgers ! »

———◈———

« Jesus saves; Moses invests; but only Buddha pays dividends ! »

———◈———

« Bulletin de nouvelles : *Il n'y aura pas de Pâques, on a retrouvé le cadavre.* »

———◈———

« L'Enfer est vide, parce que tous les diables sont ici. »

———◈———

« Vous pensez qu'Œdipe avait un problème : Adam était la mère d'Ève ! »

———◈———

« Si vous ne voulez pas être crucifié, éloignez-vous des croix que vous portez. »

———◈———

« Méfiez-vous de Toulouse-Lautrec : c'est un nain qu'on prie. »

Bondiork

———◈———

« Aime ton prochain, mais ne te fais pas prendre ! »

———◈———

« Supprimez le crime à sa source : supportez la planification des naissances ! »

———◈———

« Les murs ne sont pas faits que pour les lamentations... »

« Laurent, dit le papa à son petit garçon de six ans, cette nuit, un ange a apporté une petite sœur pour toi. Tu veux la voir ? » « Non, fait le gamin, je veux voir l'ange ! »

Mina et André Guillois

— Un vieillard qui passait par là : « Dis donc, petit, sais-tu ce qui arrive aux enfants qui disent des gros mots en jouant aux billes ? »
— Le petit répondit sans lever les yeux : « Ils grandissent et jouent au golf ! »

Deux gamins revenaient de leur leçon de catéchèse. « Qu'est-ce que tu penses de ces histoires de Satan… ? » L'autre gonfla les joues de mépris : « Ça, c'est comme pour le père Noël, tu sais comment ç'a fini ? C'est probablement ton père encore ! »

Un *preacher* annonça un jour à ses fidèles disciples : « Vous savez, on a établi à 726 le nombre de péchés différents en ce bas monde ! Ceux qui voudraient en savoir plus feront bien de ne pas manquer mes prochaines prestations. Amen ! »

Un éditorialiste, choqué par le peu de cas qu'on faisait de ses écrits, eut l'idée un jour de livrer le texte des dix commandements à ses lecteurs. Il reçut une lettre deux jours après disant : « Veuillez annuler mon abonnement. Vous devenez trop personnel. »

« Le père Bruckberger ? C'est un ermite, mais qui connaît l'heure des trains… »

Me Caen

« Douter de tout ou tout croire, ce sont deux solutions également commodes qui […] nous dispensent de réfléchir. »

H. Poincaré

Peu après sa mort, selon une légende italienne, Mussolini monta au ciel, tout fier, entre autres, d'y être reçu par Napoléon ! Ce dernier lui expliqua qu'en l'absence de saint Pierre, Dieu lui-même allait venir le rencontrer. « Très important, lui souligna l'ex-empereur, il faudra vous lever à son arrivée… » Furieux, l'Italien proclama : « Jamais de la… mort ! Je suis le Duce après tout ! » Une voix fit : « Moi, je suis César, et je me lève ! » La dispute s'envenima et c'est à l'arrivée du rusé Machiavel que tout s'arrangea : « Laissez-moi arranger ça… » Trois coups annoncèrent l'arrivée de Dieu. La voix de Machiavel s'éleva : « Attention ! Voici les photographes ! » Mussolini se leva d'un bond, solennel et bombant le torse… La paix régna à nouveau sur le Ciel !

Edmund Fuller

« J'ai arrêté d'envoyer de vieux habits à l'abbé Pierre : il ne les met jamais… »

José Artur

« L'Angleterre est un paradis pour la femme, le purgatoire des hommes et l'enfer des chevaux. »

John Florio

« Montréal : la seule ville d'Amérique du Nord où l'on ne peut lancer une pierre dans les rues sans risquer de briser quelque vitre d'église… »

Mark Twain

⊕ HOMÉLIES... !

« On ne fait pas d'homélie sans caser Dieu. »   *Jacques Pater*

« Quand le sermon est fini à l'église, qu'il commence en toi. »

« Moins il y a de mots, meilleure est la prière. »   *Luther*

« Plus l'évangile est court, plus long est le sermon. »   *Donald King*

« À des oreilles sourdes, il n'est pas bon de prêcher. »

« Un jeune curé fait les meilleurs sermons. »   *Alfred de Musset*

« Nul ne prêche aussi bien que la fourmi, et pourtant elle ne dit rien. »

« Il ne faut pas prêcher sept ans pour un carême. »

« Peu de pécheurs ont été sauvés après les 20 premières minutes
d'un sermon. »   *Mark Twain*

« Qui prêche la guerre est le chapelain du diable. »

Une bonne vieille va trouver le prédicateur pour lui dire : « Merci pour
votre sermon... Je m'excuse... mon âge, vous savez : j'en ai dormi des
petits bouts ! Mais, rassurez-vous, je n'ai rien manqué ! »

« Béni soit celui qui inventa le sommeil ! »   *Cervantes*

« Les deux dangers qui guettent l'Angleterre sont la bonne musique et
les mauvais sermons. »   *Lord Hugh Cecil*

« L'Anglais goûte les sermons sévères parce qu'il considère que
quelques vérités bien senties ne font jamais de mal aux autres. »
                                                               G.B. Shaw

---

Le prédicateur est lancé dans une de ses diatribes : « Que peut-il y
avoir de pire que la boisson... ? » Un loustic réplique : « La soif !!! »

– Le curé : « Quel prédicateur, ce dominicain ! »
– Un jésuite : « On dit qu'il aurait déjà reçu une ovation à genoux... ? »

« ... Je ne savais pas que j'étais un humoriste. Je ne l'ai jamais été
vraiment. Au Moyen Âge, je serais probablement devenu un prêcheur
et j'aurais été brûlé ou pendu... »   *Jerome K. Jerome*

« Have Bible – Will Babble ! »   *Un teenager*

« On aurait économisé pas mal d'argent en faisant peindre le sol plutôt que le plafond de la Chapelle Sixtine. »

Groucho Marx

« Seul un poète pourrait établir un questionnaire à l'intention de Dieu… »

Stanislaw Jerzy Lec

« L'homme a été mis par Dieu au milieu de la nature pour l'achever et la lui offrir. »

Paul Claudel

« L'orage, c'est la colère de Dieu ; la pluie, sa tristesse. »

M. Tournier

« Je crois que Dieu a inventé la pluie pour donner aux morts une occasion de se plaindre… »

David Brenner

« À mon avis, tout le concept du monothéisme est un cadeau des dieux… »

Emo Philips

« Le sacré est ce qui donne la vie et ce qui la ravit, c'est la source d'où elle coule, l'estuaire où elle se perd. »

Roger Caillois

« Je viens de trouver ce qu'il faut que je laisse tomber pour le Carême : mes résolutions du Nouvel An ! »

Robert Orben

« Dicton : Celui qui doit être pendu à Pâques trouve le Carême bien court… »

Visage de Carême : « Qui n'a pas Foi aux yeux… » *R.T.*

LES BONZES APÔTRES

« Tu es Pierre, et sur cette pierre je bâtirai mon Église. »   *Jean Lefevre*
« Nous considérons cette citation comme le premier jeu de mots réalisé dans l'histoire du monde. »   *Dictionnaire de l'esprit*

« Les apôtres deviennent rares, tout le monde est Dieu ! »
Alphonse Karr

Un jour, peu après sa Résurrection, Jésus déjeune avec ses apôtres. Ils sont tellement exubérants et bruyants que Jésus, excédé, finit par leur dire : « J'en ai assez ! Allez donc voir dehors si j'y suis ! » Ils y allèrent et... Il y était !

« Saint Paul s'envole, mais Jésus-Christ reste... »   *Philippe Mignaval*

Autre film biblique pour Samuel Goldwyn. On explique à ce mégalomane qu'il faudra embaucher 12 comédiens pour jouer les 12 apôtres. « Pourquoi seulement 12 ? Allez m'en trouver des milliers ! »

– Jésus : « Et puis, quoi de neuf ? »
– Un apôtre : « Eh bien... il y a Lazare qui est mort... »
– Jésus : « Ah... encore ? »

Sauf Thomas, tous les apôtres ont suivi Jésus et marchent sur le lac de Tibériade. Il finit par s'y risquer, mais il s'enfonce. Et le bon saint Jean de suggérer : « Fais comme nous, marche sur les pierres ! »

« Il ne faut pas juger un homme par ses fréquentations. Ne perdons pas de vue que Judas avait des amis irréprochables ! »
Attribué à plusieurs...

« Si Judas vivait, il serait ministre d'État. »   *Barbey d'Aurevilly*

Comme disait un grand reporter en parlant du Ciel : « Les onze y trônent ! »   *Adapté de Léon Frémion qui faisait allusion à... Léon Zitrone !*

– La bienfaitrice : « Tenez, mon père, voici une paire de bottes neuves pour votre retour en mission. Comment avez-vous aimé les autres ? »
– Le missionnaire : « C'est les meilleures que j'ai jamais mangées ! »

« Même les pèlerins transpirent des pieds. »

Stanislaw Jerzy Lec

✲

« Les Pèlerins *(Pilgrims Fathers)* abordèrent en Amérique et tombèrent à genoux. Ensuite, ils tombèrent sur les aborigènes. »

Gerald F. Lieberman

✲

Un diplomate visite la ville natale de Charles de Gaulle, Colombey-les-Deux-Églises. Un membre de la délégation interroge : « Pourquoi les-Deux-Églises ? » Et le diplomate répond : « L'autre est pour le bon Dieu, j'imagine… »

R. Brisebois

✲

« Si tu veux être connu de Dieu, sois ignoré des hommes. »

Pères du désert (Arménie)

✲

« C'est un père de famille qui avait incité son fils à apprendre sept langues étrangères, considérant que cela lui serait un atout dans la vie. Hélas ! son fils est entré chez les trappistes ! »

R. Willar

✲

« Ne jamais *faxer* une tranche de jambon aux enfants du Tiers-Monde, surtout s'ils sont musulmans… »

Jean-Louis Fournier

✲

– Un invité : « Ces sacrés juifs… Ils bâillent et on jurerait qu'ils veulent nous avaler ! »
– Israel Zangwill : « N'ayez pas peur, cher ami, notre religion nous l'interdit ! »

✲

« Les chrétiens de ce temps deviennent un peu trop familiers avec leur créateur. Leur mon Dieu tournerait volontiers au mon Vieux… »

Gilbert Cesbron

FAUSSES SCEPTIQUES

« Si tu ne digères pas la soutane, évite de manger du missionnaire... »
Faux proverbe bantou d'Alexandre Vialatte

« Ne te mets pas en boule contre ceux qui veulent te rouler... »
Faux proverbe zen R.T.

« Bien apprêtées, les grenouilles de bénitier peuvent constituer un repas... copieux... »
Faux proverbe cannibale R.T.

« Péché zimbavoué est à demi mugabé... »
R.T.

« Avoué, le péché est à demi pardonné. Caché, il l'est tout à fait... »
Pierre Véron

Western-spaghetti : « Film où le *Trigger Mortis* est de rigueur. »
Levinson

« Un sceptique est quelqu'un qui a perdu son porte-monnaie dans une église alors qu'il était agenouillé entre un policier et une bonne soeur. »
Colin Bowles

« Peut-être que la Terre est l'Enfer d'une autre planète... »
Aldous Huxley

« Ne faites pas à autrui ce que vous pouvez faire le jour même. »
F. Blanche

« Ça commence bien ! »
Dieu

« L'opium est la religion du peuple. »
Confucius

« Tout le monde descend... ! »
Darwin

Les trois dernières citations ont été tirées de Au Bonheur des mots *de Claude Gagnière.*

« Un missionnaire plus téméraire que sceptique a mis sa main dans la gueule d'un lion pour vérifier... s'il avait des dents ! Malheureusement, le lion a refermé sa gueule pour vérifier... si le missionnaire avait des doigts ! »
Milton Berle

« Le scepticisme est la carie de l'intelligence. »
Victor Hugo

« Je pense que je vais me convertir au protestantisme... Comme ça, quand je mourrai, on ne pourra pas dire : « "Un catholique de moins !" »
Larry Wilde

«Appeler Satan le Malin peut nous incliner à surnommer Dieu le Bénin… »

Albert Brie

« Le beau geste de l'index levé, qu'on voit aux saints du XIIIe siècle, l'évêque moderne le fait aussi, mais c'est seulement pour savoir d'où vient le vent… » *Louis Pauwells*

« Crosse de bois, évêques d'or;
« Évêque de bois, crosse d'or. » *Fleury de Bellingen, 1656 !*

« Les saints sculptés ont eu beaucoup plus d'influence dans le monde que les saints vivants. » *Georg C. Lichtenberg*

« On n'a point pour la mort de dispense de Rome. »

« Les saints sont à leur place au Ciel, mais ils sont un enfer sur Terre. » *Cardinal Cushing*

« Il vaut mieux avoir à faire au bon Dieu qu'à ses saints. C'est au pied du mur qu'on voit le maçon. »

Le professeur Charles Copeland de Harvard habitait sous les combles d'un immeuble du campus. À quelqu'un qui lui demandait pourquoi il ne cherchait pas un logement plus confortable, il fit cette réponse : « Voyez-vous, là où je suis, seul Dieu est au-dessus de moi. Il est très occupé… mais il est bien tranquille ! »

R. Brisebois

YÉ! HIÉRARCHIE

« La force de l'Église : les poings cardinaux… »   *Claude Falardeau*

Un prêtre s'apitoie sur le sort d'un rabbin : « Au moins, nous avons la chance d'espérer une promotion, de prêtre à évêque, d'archevêque à cardinal et même devenir pape ! » Et le rabbin de conclure : « Mais vous ne pouvez pas aller plus loin ! » Le prêtre rétorque : « Comment voulez-vous aller plus haut que la papauté ? Devenir Dieu peut-être ? » Le rabbin sourit et dit : « L'un des nôtres y est parvenu, vous savez… »   *Hervé Nègre*

« Un chien regarde bien un évêque !
– Ah ! … Qui vous a dit que j'étais évêque ? »   *Attribué à Rivarol*

L'archevêque de Saint-Louis habitait une toute petite résidence cachée dans une de ses paroisses. Un prêtre de Chicago en visite s'étonnait fort de cette situation et dit : « Vous devriez voir la splendide résidence de notre archevêque… » Et le guide de riposter : « Vous devriez voir le splendide archevêque de notre résidence ! »

                    Edmund Fuller

« Qui veut voyager loin ménage sa nonciature… »   *Philippe Mignaval*

C'est le nonce italien qui fut estomaqué d'être présenté par le pasteur noir d'une paroisse du Bronx avec ces mots tirés de l'Ancien Testament : comme « a sounding brass and a tinkling cymbal » !

Un employé d'évêché a confirmé que le grand patron avait l'habitude de classer ses documents en deux sections : « Sacred » et « Top Sacred ».   *Milton Berle*

– La supérieure : « Vous êtes en train de me dire que la chambrière de Sa Sainteté n'entend rien aux chiffres romains… ? »
– Son adjointe : « Hélas ! oui… En voyant le nom de Jean XXIII, elle a cru que c'était la taille de sa soutane ! »

Quand on montra à Jean XXIII l'esquisse de ses nouvelles armoiries, il réagit avec sa bonhomie coutumière : « C'est très bien, mais… le lion, on ne pourrait pas lui donner un air moins méchant… ? »

En général, les évêques vivent longtemps. Apparemment le Seigneur n'est pas pressé de les voir Le rejoindre… »   *Antony Jay et J. Lynn*

– Le golfeur expert : « Alors, monsieur le chanoine… vous avez déjà joué ? Quel est votre handicap ? »
– Le chanoine : « Mon évêque, surtout ! »

Quand Mgr Verdier, archevêque de Paris, fut nommé cardinal, Arletty lui envoya ce bijou de télégramme : « Chapeau ! »

«Certains saints réputés auraient dû être canonnés plutôt que canonisés ! »

C.C. Colton

«N'essaie pas d'être un saint avant jeudi prochain ! »

Bill W.

«Un saint, c'est quelqu'un qui ne trouve pas Dieu. Ne le trouvant pas, il le cherche. Le cherchant, il finit par trouver Dieu mieux que s'il ne l'avait pas cherché… »

Père R.-L. Bruckberger

«Aux yeux de Dieu, nous sommes tous également sages et également fous… »

Albert Einstein

– «Que pensez-vous de votre tout nouveau joueur de défense ? »
– Le coach Al Maguire : «Lui ? … Il est aussi rapide que la dernière messe à mon camping familial ! »

«Le jeune homme qui veut demeurer un athée convaincu ne sera jamais trop prudent dans ses lectures. »

C.S. Lewis

«Si les gens cherchent un but dans la vie, ils devraient en trouver un auprès de leurs évêques. Ils ne devraient pas en attendre de leurs politiciens. »

Harold Macmillan

«Aujourd'hui, on parle de la Bible tout court. On a laissé tomber le mot sainte pour lui donner plus d'attrait pour la masse. »

Judith Young

« L'humanité se prend trop au sérieux. C'est le péché originel de notre monde. Si l'homme des cavernes avait su rire, le cours de l'histoire eut été changé. »
Oscar Wilde

« L'homme est plein d'imperfections, mais on ne peut que se montrer indulgent si l'on songe à l'époque à laquelle il fut créé. »
A. Allais

Dieu créa l'Homme. Puis il fit un pas en arrière, l'examina et dit : « Je suis capable de faire mieux ! »
Dr Joyce Brothers

« La Bible assure que lorsque Dieu eut fabriqué l'homme et la femme, Il en pleura. Comme on le comprend ! »
Alexandre Vialatte

Après le départ de Gaspar, Balthazar et Melchior, le roi Hérode a convié ses complices à un *vains et faux mages*...

Antoine de Piis a expliqué comme ceci pourquoi la lettre « A » a été choisie comme toute première lettre de l'alphabet : « À l'aspect du Très-Haut, sitôt qu'Adam parla, ce fut certainement "A" qu'il articula ! »
Cité par Claude Gagnière

Le 28 septembre 1978, suivant la mort de Jean-Paul Ier, après un très court règne, un magazine titrait : « Le Pape est encore mort ! »

Il y a quelques années à peine, une riche compagnie inaugurait un super ordinateur de 30 millions de dollars ! Au tout premier test, on lui posa la question : « Y a-t-il un Dieu ? » La machine s'activa et, en moins de cinq minutes, rendit sa réponse : « Maintenant, il y en a Un ! »
James T. Walker

C'est un prêtre américain, amateur de baseball, qui avait pris l'habitude de dire, au lieu de « Au commencement était le Verbe », « In the big inning... »

« Aujourd'hui, on n'appelle plus ça un péché, on parle plutôt d'expression de soi... »
Baronne Stocks

« Est-ce que je crois en Dieu ? Disons que nous avons des relations de travail... »
Noel Coward

– Claire : « Comment savez-vous que vous êtes… Dieu ? »
– Le comte de Gurney : « Élémentaire ! Quand je le prie, je découvre que je me parle à moi-même ! »

Peter Barnes

Dans *Les Balances* de Georges Courteline :
« Ah, dis-moi, tu parlais du bon Dieu, tout à l'heure.
– Est-ce que tu le connais ?
– Oui et non. Je le connais pour avoir entendu parler de lui ; mais notre intimité ne va pas jusqu'à jouer au billard ensemble. »

Un touriste revient d'un voyage en Italie. Bien sûr, il a visité Rome et le Vatican. Un ami lui demande justement : « Et puis, Saint-Pierre de Rome, t'as trouvé ça comment ? » Et le blasé de répondre : « Pas mal… Si tu aimes le moderne ! »

Marc-Alain Ouaknin

« Cette façon, enfin, si remarquable chez un chrétien, de porter sa croix… mais en sautoir. »

F. Mauriac

Quand le rabbin a appris que son fils s'était converti au catholicisme, il est mort de chagrin. Une fois devant Jehovah, il se lamente comme un mur… Mais Jéhovah le console en lui rappelant : « Mon Fils aussi s'est converti ! » Le rabbin, perplexe, lui demande alors : « Et qu'avez-vous fait, Seigneur ? » Jéhovah, dans un clin d'oeil, lui avoua : « Un Nouveau Testament ! »

Armand Isnard

« "Laissez venir à moi les petits enfants !" Ça prouve que Jésus n'était pas marié ! »

Arnold Bennett

DIEU A-T-IL BESOIN
DES HOMMES ?

« Dieu a eu besoin des hommes, et les hommes se sont servis de Dieu,
cela dit tout. »   *François Mauriac*

« La question n'est pas : "Croyons-nous en Dieu ?" mais plutôt : "Dieu
croit-Il en nous ?"... »   *Kenneth Patchen*

« Je crois au Dieu qui a fait les hommes et non au Dieu que les
hommes ont fait... »   *Alphonse Karr*

« Quand le bon Dieu s'ennuie dans le ciel, il ouvre la fenêtre et regarde
les boulevards de Paris... »   *Henri Heine*

« Ce qui nous angoisse, ce n'est pas de pouvoir célébrer dans les
catacombes, c'est de rester humain dans les gratte-ciel ! »
                                              Abraham Joshua Heschel

---

« Nous avons remplacé Dieu... par la respectabilité et l'air
conditionné ! »   *Le Roi Jones*

« L'homme vaut-il la peine de déranger un Dieu pour le créer ? »
                                                          P. Valéry

---

« Il ne sert à rien à l'homme de gagner la Lune s'il vient à perdre
la Terre. »   *François Mauriac*

« Si l'on chasse Dieu de la Terre, nous le rencontrerons sous la Terre. »
                                                     Fedor Dostoïevski

---

« Dieu ? Les uns craignent de le perdre et les autres de le trouver. »
                                                          Blaise Pascal

---

« Je pourrais prouver l'existence de Dieu statistiquement. »
                                                          George Gallup

---

« Les constructeurs de tunnels n'ont jamais eu la Foi qui déplace
les montagnes... »   *L'Os à moelle*

« L'homme est un être chargé de continuer Dieu là où Dieu ne se fait
plus connaître par Lui-même... »   *Claude de Saint-Martin*

« Les grands hommes font leur propre piédestal; l'avenir se charge de
la statue... »   *Victor Hugo*

« Si j'étais Dieu, les abeilles feraient du boudin ! »   *Jean-Marie Gourio*

« Il n'y a que les oiseaux, les enfants et les saints qui soient
intéressants. »   *Oscar Venceslas de Lubiez Milosz*

« Un homme à vertu en vaut deux... »   *Normand Hudon*

« Je suis déterminé à élever mes enfants dans la religion de leur père, si jamais ils peuvent me dire laquelle c'est ! »

Charles Lamb

Une institutrice interroge le petit Gaston : « On dit que l'eau est inc… ?
– Incolore !
– Elle est aussi ino… ?
– Inodore !
– Et, enfin, elle est insi… ?
– Ainsi soit-il ! », fait l'enfant soulagé ! *Normand Robidoux*

« Ce que Dieu trempe, Dieu le sèche… »

Le petit-fils s'approche de son grand-père et lui dit : « Tu as un super vélo, est-ce que je peux l'avoir ? » Le grand-père, voulant lui donner une petite leçon de choses, lui dit : « Quand je veux avoir quelque chose, je prie pour l'avoir. C'est comme ça que j'ai eu mon vélo. » Le petit, nullement démonté, rétorque : « Ben… donne-moi celui-là, et prie pour en avoir un autre ! »

Steve Allen

« N'ayez jamais d'enfants, seulement des petits-enfants ! » *G. Vidal*

– La maman : « Comme ça, tu as dit à ton professeur que tu étais un enfant unique… Qu'est-ce qu'elle a dit ? »
– Elle a dit : « Merci mon Dieu ! » *Kevin Goldstein-Jackson*

DU PAIN ET DES JEUX

« Ce que le peuple veut ardemment : du pain et des jeux. »   *Juvénal*

« Un vrai chrétien est quelqu'un qui craint plus le public que les lions. »   *Ned Rorem*

« Là où il y a des chrétiens, il y a des lions. »   *Jean L'Anselme*

« Les chrétiens entrèrent dans l'arène à pas de tortures... »

« J'amène mon lion aux catacombes tous les dimanches... Il faut bien qu'il mange ! »   *Marty Polio*

« Je suis Romaine hélas ! puisque *mon époux l'est* ! »   *Corneille*

« "Né poulet" ou "pour un petit pain", ça se ressemble ! »   *R.T.*

« Rome n'a pas été brûlée en un jour ! »   *Abe Hirschfeld*

Aucun Romain n'a jamais pu dire : « J'ai dîné chez les Borgia hier soir ! »   *Max Beerbohm*

« À Rome, fais comme les Romains ! »   *Adage connu*

« À Rome, fais comme les Roméo ! »   *Version plus romantique...*

« When in Turkey, do as the turkeys do ! »   *Version* Thanksgiving...

« Je me sentais comme un pauvre lion dans une fosse pleine de Daniel ! »   *Oscar Wilde*

« Mourir pour sa religion est plus facile que de la vivre tout à fait. »   *Jorge Luis Borges*

« Celui qui manque trop du pain quotidien n'a plus aucun goût au pain éternel. »   *Charles Péguy*

« Ceux qui vont mourir te saluent ! »   *Formule utilisée par les gladiateurs*

« Celui qui ne tient pas à mourir te salue ! »   *Parodie de Jules Renard*

« Ne soyez jamais un précurseur : c'est toujours au premier chrétien qu'échoit le plus gros lion. »   *Hector Saki*

« On vient au spectacle pour oublier qu'on va mourir. »   *G. Vigneault*

« On est plus près des fourmis que des papillons. Très peu de gens peuvent supporter plus de loisirs. »   *Gerald Brenan*

À la question « Qu'est-ce que le mariage ? », un élève a répondu sans malice : « C'est un sacrement qui punit légalement l'homme et la femme. »   *Mina et André Guillois*

***

« Au cas où ma vie prendrait fin au pays des cannibales, je souhaiterais qu'on inscrive sur ma pierre tombale : "Nous avons mangé le Dr Schweitzer. Il a été bon jusqu'à la fin !" »

***

« Il y a des anticléricaux qui sont vraiment des chrétiens un peu excessifs. »   *Remy de Gourmont*

***

Un poisson rouge, philosophe à demi-temps, stoppe soudain son virage en rond pour demander à son congénère : « Crois-tu en l'existence de Dieu ? » L'autre s'immobilise perplexe et suggère : « Sans doute… Qui d'autre, penses-tu, change notre eau ? »

Kevin Goldstein-Jackson

***

« Dieu a fait notre monde rond pour nous permettre de ne pas voir trop loin en avant. »   *Isak Dinesen*

***

Hamlet à Ophélie : « On m'a dit aussi que vous vous fardiez ? Fort bien ! Dieu vous a donné un visage, et vous vous en fabriquez un autre… »

***

« Les nez retroussés sont la preuve vivante que Dieu a le sens de l'humour… »   *Margo Kaufman*

***

« La vieillesse est la clinique externe du Purgatoire. »

Hugh Cecil

PAX VOBISCUM...

« La paix, c'est la coexistence ou la non-existence. »   *Bertrand Russell*

« PEACE : time out... »   *Leo Rosten*

« Paix à ses cendres ! Prière de ne pas éternuer ! »   *Jacques Kalaydjian*

« Ils sont loin ces jours du XIXᵉ siècle où un pays pouvait demeurer neutre ou en paix juste en disant qu'il le voulait... »   *William Shirer*

« Si tu veux la Paix, fais le mort ! »   *Jean L'Anselme*

« Vous allez voir qu'un jour, on va nous déclarer la paix et que nous ne serons encore pas prêts... »   *Tristan Bernard*

« Un jour, on va déclencher une guerre et personne ne va venir ! »   *Carl Sandburg*

« Ceux qui croient avoir trouvé la paix, ce n'est souvent que par défaut d'amour. »   *René Daumal*

« La guerre est gagnée, mais la paix ne l'est pas. »   *Einstein en 1945*

« Je ne trouve la paix qu'à me faire la guerre. »   *François de Malherbe*

« Faux Pacifiés... »   *Titre-trouvaille d'une revue théâtrale avec Serrault*

« Repos aux bons ! Paix aux tranquilles ! »   *Joseph Joubert*

« La grande illusion, c'est la guerre. La grande désillusion, c'est la paix. »   *Marcel Achard*

« Ressemblons-leur, c'est le moyen d'avoir la paix... »   *Julien Green*

« Si on perd cette guerre, j'en déclencherai une autre au nom de ma femme ! »   *Moshe Dayan*

« Dieu a créé la guerre pour enseigner la géographie aux Américains. »

« Que les *corps rompus* reposent en Paix ! »   *R.T.*

Prière américaine : « Mon Dieu, je n'aime pas ce que j'entends sur une possible troisième Guerre mondiale. Éloignez de nous l'idée d'une possible troisième victoire consécutive... »

– « Qu'arriverait-il si Dieu était une femme ? »
– Non seulement j'irais en enfer, mais je ne saurais pas pourquoi ! »

Adam Ferrara

« Que celui qui n'a jamais commis de péché jette la première pierre. » Attention, piège ! Car on ne pourra plus dire qu'il n'en a jamais commis.

Stanislaw Jerzy Lec

À la même invitation de Jésus, il avait dû intervenir en voyant une femme s'emparer d'une pierre : « Pas toi, maman ! »

« Alors que le pape était en visite en Israël en 1964, une photo parut dans un journal, montrant le président de l'État aux côtés du pontife. La légende de cette photo est devenue… légendaire : "Le pape est celui qui porte la calotte !" »

Marc-Alain Ouaknin et Dary Rotnemer

On connaît l'extrait de la parabole de l'enfant prodigue : « Je me lèverai, j'irai vers mon père et je lui dirai : "J'ai péché contre le Ciel et contre toi !" » C'est ce passage qu'un nouvel ordonné avait choisi pour introduire son tout premier sermon. Pour épater son père, il voulait donner son sermon sans texte. Or, trou de mémoire, après avoir dit trois fois : « Je me lèverai, j'irai vers mon père… ! », il dut s'arrêter et… retraiter piteusement vers la sacristie. Son curé, en passant, le gratifia d'un laconique : « Tu salueras ton père pour moi… »

☉☉D is AMERICAN

« *God bless America* et l'Amérique blesse les autres. »

Stéphane Laporte

– Le monsignor : « Vous me dites qu'il vous faut trois semaines pour me faire un complet ? Savez-vous que Dieu n'a mis que six jours pour créer le Monde... ? »

– Le tailleur : « Oui, mais... Excellence,... l'avez-vous bien regardé récemment ? »

« C'est par la grâce de Dieu que nous possédons dans ce pays ces trois choses indiciblement précieuses : la liberté de parole, la liberté de conscience et la sagesse de ne jamais mettre en pratique ni l'une ni l'autre. »

Mark Twain

« On a évacué Dieu de la Constitution, mais on lui a trouvé un siège réservé sur les dix sous du pays ! »

Mark Twain

Le professeur de philosophie de Columbia, Sidney Morgenbesser, était très mal en point. On l'entendit se plaindre : « Pourquoi Dieu me fait-il tant souffrir ? Seulement parce que je ne crois pas en Lui ? »

« L'Américain tutoie toujours alors que Dieu vous voit toujours... »

C. Falardeau

« Le Nebraska est la preuve que l'Enfer est plein et que les morts arpentent la Terre... »

Liz Winston

« Les Américains ont tout en surabondance, sauf de l'espace pour stationner et de la religion. »

H. Prochnow

« Notre puissance scientifique a surpassé nos forces spirituelles. Nous avons des missiles guidés, mais pas d'hommes qui le sont... »

Martin Luther King

« *Thanks Lord !* On a encore plus de mariages que de divorces aux USA. Ce qui prouve que nos *preachers* battent encore les avocats ! »

Bob Phillips

« Dieu fit les hommes inégaux. Le colt les rendit égaux. »

Dicton américain

« La plus belle des ruses du Diable est de vous persuader qu'il n'existe pas. »

Baudelaire

Connaissez-vous le WOW ? C'est le *Women's Ordination Worldwide* (ou *Worldwild* ?).

Connaissez-vous l'habile surnom-anagramme de *Presbyterian* ? C'est *Best in Prayer* !

C'est le juif qui a fait bien des sacrifices pour que son fils puisse s'inscrire au *Trinity College*, le meilleur du coin. Un jour, son fils lui demande : « Papa, tu sais ce que ça veut dire Trinité ? Ça signifie le Père, le Fils et le Saint-Esprit ! » Le père, qui a laissé toute pratique religieuse, prend alors son fils à la gorge et lui dit : « Danny, rentre-toi ça dans la tête : il n'existe qu'un seul Dieu… et nous n'y croyons pas !!! »

Marc-Alain Ouaknin et Dary Rotnemer

Un habitué du *Dial-a-Prayer* a eu la surprise de sa vie. Après avoir déballé toutes ses demandes, il s'est entendu répondre : « Prenez deux aspirines et rappelez-moi demain matin ! »   *Orben*

« L'Église est vraiment bien charitable : elle donne des indulgences dont elle a bien besoin. »   *Xavier Forneret*

La bonne juive pratiquante s'inquiète de savoir combien le rabbin demandera pour les funérailles de son mari. « Combien m'en coûtera-t-il pour son éloge funèbre ? » Et le rabbin fait : « Ça dépend… avec ou sans larmes ? »

Marc-Alain Ouaknin et Dary Rotnemer

ŒCUMÉNIQUEMENT VÔTRE

« L'union fait l'amorce... »
Philippe Mignaval

« L'œcuménisme, c'est peut-être ce qui restera après qu'on aura écumé les préjugés et l'intolérance religieuse... »
R.T.

Je n'avais pas remarqué à quel point le mouvement œcuménique gagne du terrain jusqu'au jour où, passant près d'un confessionnal, j'entendis une voix dire : « Mon père, je me marie demain ! » Et une autre voix qui répondit : « Mazel tov ! ... »

« Catholique par ma mère, musulman par mon père, un peu juif par mon fils et... athée grâce à Dieu ! »
Mouloudji

« L'antisémitisme consiste à haïr les Juifs plus qu'il n'est absolument nécessaire. »
Max Shulman

« Je veux être le frère de l'homme blanc, pas son beau-frère ! »
Martin Luther King Jr.

« La plupart des religions ne rendent pas l'homme meilleur, mais plus prudent... »
Elias Canetti

« Le bouddhisme` Une religion où on doit, en même temps, fermer les yeux et regarder son nombril, ne peut pas être vraiment mauvaise ! »
Wolinski

« Les bons coptes font les bons amis... »
Philippe Mignaval

« À New York, un infidèle est quelqu'un qui ne croit pas au Christ. À Constantinople, c'est celui qui y croit... »
Ambrose Bierce

« Une image de l'œcuménisme serait le croyant et l'athée réunis à l'ombre d'un doute... »
Robert Sabatier

Un match de boxe au Madison Square Garden. Un rabbin voit l'un des combattants se signer. Étonné, il demande à son ami prêtre de lui expliquer le sens profond de ce geste. Le prêtre commente alors : « S'il sait pas boxer, ça veut rien dire ! »
Belle Barth

« Rien ne provoque autant la division parmi les chrétiens que le fait de parler d'unité... »
Conor Cruise O'Brien

« Quelle différence y a-t-il entre un petit bonze maigrelet et un gros chanoine ? Vingt minutes de cuisson ! »
Claude Gagnière

« Les non-croyants sont forcément des œcuméniquement faibles... »
R.T.

– La veuve : « Monsieur le curé, c'est combien des funérailles ? »

– Le curé : « Eh bien, on a différents prix… Pour 20 cierges, c'est 2 000 francs… pour 10 cierges, 1 000 francs… et pour 5 cierges, 500 francs. »

– La veuve : « Bon… vous n'en mettrez qu'un seul, s'il vous plaît. »

– Le curé : « Comme vous voulez… Mais, je vous préviens, ça va faire moins gai ! » *François Biron et Georges Folgoas*

« Yahvé, j'ai des problèmes ! Le loyer, la nourriture, les impôts, les vêtements, les médicaments, je n'y arrive plus ! Fais-moi don de 10 000 francs et j'en donnerai la moitié aux pauvres… Et si c'est trop demander, envoie-moi seulement mes 5 000 francs ! »

Marc-Alain Ouaknin et Dary Rotnemer

« Au monastère de Saint-Wandrille, on m'a prêté une chambre minuscule avec quelques étagères en style Louis-Caisse ! »

L'abbé Pierre

« Quelle dérision, l'Angleterre jeûne pour l'Irlande qui meurt de faim ! Ne jeûnez pas, nourrissez-la ! »

Victor Hugo

« Si tu meurs en Australie, c'est important de te souvenir qu'en Australie, on descend au Ciel et on monte en Enfer. »

P. Légaré

« Nation chrétienne : qui possède des églises dont beaucoup de gens s'éloignent le dimanche… »

Herbert V. Prochnow

PÈLERINAGES

Pèlerin : « Fidèle qui ne croit pas assez en Dieu pour penser qu'Il est partout ou que c'est Lui qui fera le voyage... »   *Philippe Bouvard*

« Pluie du matin n'arrête pas le pèlerin. »

« Le saint qui ne guérit rien n'a pas de pèlerins... »   *S.J. Lec*

« Lorsque tu es arrivé au sommet de la montagne, continue de monter... »   *Bouddha*

« Les pèlerinages amènent des gens qui seraient mieux chez eux dans des endroits qui étaient mieux sans eux. »   *Yves Taschereau*

« Dès qu'il a placé le premier pas sur la route, le pèlerin sait qu'il se perd dans le monde et qu'à mesure qu'il avancera, il se perdra de mieux en mieux. »   *André Dhôtel*

« Il en est de la religion comme des grandes routes : j'aime que l'État les entretienne, pourvu qu'il laisse à chacun le droit de préférer les sentiers. »   *Benjamin Constant*

« Je réponds ordinairement à ceux qui demandent raison de mes voyages : que je sais bien ce que je fuis, mais non pas ce que je cherche. »   *Montaigne*

« On peut donc voyager non pour se fuir, chose impossible, mais pour se trouver... »   *J. Grenier*

« Qui veut voyager loin ménage sa tonsure... »   *Philippe Mignaval*

« La marche est le braille des poètes. Ils lisent la ville avec leurs pieds. »   *Giovanni Marangoni*

« À quoi sert de voyager si tu t'amènes avec toi : c'est d'âme qu'il faut changer et non pas de climat. »   *Sénèque*

« L'absence de routes et la profusion de routes produisent le même égarement. »   *Didier van Cauwelaert*

« Tout compte fait, qu'aurai-je été ? Le vagabond qui passe sous une ombrelle trouée. »   *Mao*

« Va où tu veux, meurs où tu dois... »

Pieuse confusion de jadis : « Prions pour la béatification sur cette terre du vénérable Françoys de Montmorency Laval… et des autres esprits mauvais qui parcourent le monde pour la perte des âmes. »

🐝

« Je n'ai pas la foi, très peu d'espérance et autant de charité que je puisse m'en payer. »   *Thomas Henry Huxley*

🐝

« Maman », raconte une fillette qui rentre de l'église où elle a assisté, pour la première fois, à la messe, « j'ai été très sage. Même qu'une dame est passée en me proposant un plateau plein de pièces de monnaie. Et moi, j'ai dit poliment : "Non, merci !" »

Mina et André Guillois

🐝

« On ne peut pas éliminer les prières à l'école. Comment voudriez-vous que les élèves puissent passer un test de *Vrai ou Faux* ? »   *Steve Allen*

🐝

« Il y a des coups de goupillon au derrière qui se perdent ! »   *Henri Jeanson*

🐝

« Nos bonnes actions sont souvent plus troubles que nos péchés. »   *Marcel Aymé*

🐝

« Il y a des prêches qu'on ne peut entendre sans verser des larmes et sans rire lorsqu'on les lit. »   *Georg C. Lichtenberg*

🐝

« La religion a été remplacée par le divertissement. »

Jacques Godbout

BULLETIN DE JÉSUS

Jésus, élève à l'école de Nazareth, rentre chez lui avec son bulletin scolaire. Hélas ! ce n'est pas reluisant. Marie, sa mère, est inquiète de la réaction de Joseph à qui il faut montrer ceci :

Objet : bulletin de l'enfant Jésus

<u>Mathématiques :</u> ne sait quasiment rien faire à part multiplier les pains et les poissons.

<u>Sens de l'addition :</u> n'est pas acquis; affirme que son Père et lui ne font qu'un.

<u>Écriture :</u> n'a jamais ses cahiers ni ses crayons; est obligé d'écrire sur le sable.

<u>Géographie :</u> n'a aucun sens de l'orientation; affirme qu'il n'y a qu'un chemin et qu'il conduit vers son Père.

<u>Chimie :</u> ne fait pas les exercices demandés; dès qu'on a le dos tourné, transforme l'eau en vin pour faire rigoler ses camarades.

<u>Éducation physique :</u> au lieu d'apprendre à nager comme tout le monde, marche sur l'eau.

<u>Expression orale :</u> grosses difficultés à parler clairement; s'exprime en paraboles.

<u>Ordre :</u> a perdu toutes ses affaires à l'école et déclare, sans honte, qu'il n'a même pas une pierre comme oreiller.

<u>Conduite :</u> fâcheuse tendance à fréquenter les étrangers, les pauvres, les lépreux et même les prostituées.

Qui fut bien déçu, ce fut Joseph. Il décida de prendre illico des mesures sévères. Il proclama alors : «En vérité, en vérité, je te le dis, puisque c'est comme ça, tu peux faire une croix sur tes vacances de Pâques ! »

Adapté d'un texte sur Internet

« Une bonne crise mondiale pourrait aider à ramener les gens vers la Foi. Personne ne prie jamais la Croix Bleue ! »

Milton Berle

C'est un prédicateur novice qui s'était gouré dans ses citations sur la multiplication des pains en parlant de 5 000 pains pour nourrir 5 hommes. Un paroissien lui avait fait remarquer que ce n'était pas bien difficile… Voulant se reprendre, il rapplique le dimanche suivant, cette fois avec les bons chiffres et demande au paroissien rebelle : « Comment ferais-tu, toi, pour nourrir 5 000 hommes avec 5 pains ? » L'autre, narquois, lui répond : « Facile, facile… avec les restes de la semaine passée… ! »

« Quand le père Untel prie, il ferme ses yeux… Quand il prêche, il ferme les miens… »

Antony B. Lake

« Dieu n'a pas vraiment chassé Adam et Ève du Paradis terrestre. C'est les mouches noires qui l'ont fait ! »

Mike Harding

Un prédicateur qui rédigeait tous ses sermons avait eu la malencontreuse idée de déposer son texte d'avance sur le rebord de la chaire. Un enfant de chœur bien intentionné lui chipa la dernière page pour voir… À la fin de son sermon, le prédicateur se lança dans son approche de la conclusion : « C'est donc à ce moment-là qu'Adam dit à Ève… Oups ! Il me manque une feuille… »

« On met toujours la faute sur quelqu'un d'autre. Adam a blâmé Ève. Ève a accusé le serpent. Et le serpent n'a jamais su sur quel pied danser après ça… »

CINÉ-CURES

« Je ne prie pas. M'agenouiller salope mes bas nylon ! »

Extrait du film Le Gouffre aux chimères

———◇———

« Pour vous, je suis un athée. Aux yeux de Dieu, j'appartiens à l'opposition fidèle. »   *W. Allen*

———◇———

« Ma Bible, c'est *Paris-Turf* et j'ai jamais réussi à toucher la sainte Trinité dans l'ordre. »   *Réplique du film* Ripoux contre Ripoux

———◇———

« Je travaille plus dur encore que Dieu lui-même. S'il m'avait embauché, le monde aurait été terminé le mardi matin. »

Réplique du film Au Nom d'Anna

———◇———

Titre d'un film de 1997 signé Xavier Durringer : *J'irai au Paradis car l'Enfer est ici.*

———◇———

« Saint Léonard, ayez pitié de lui !
– Saint Léonard ? Qui c'est celui-là ?
– Tu sais pas que saint Léonard, c'est le patron des prisonniers ?
– S'il y avait un patron des prisonniers, il n'y aurait pas de prisonniers ! »   *Du film* La Vache et le prisonnier

———◇———

« Mes personnages favoris dans la Bible sont le roi David, Samson et Charlton Heston... »   *George Burns*

———◇———

Le producteur Cecil B. de Mille : « Biblic-Relations... »   *Noctuel*

———◇———

« À l'heure du rejet de la religion, devrait-on s'attendre à ce qu'Hollywood investisse dans la conscience-fiction... ? »   *R.T.*

Un *preacher* se lance dans une envolée oratoire concernant le Paradis terrestre quand un malin l'interrompt pour lui demander : « Qui était la femme de Caïn ? » Nullement désarçonné, le *preacher* lui dit : « Je vous félicite pour votre curiosité, mais... il ne faudrait pas risquer votre salut en vous intéressant aux femmes des autres ! »

Un bon moine qui transcrit et enlumine des épisodes de la Bible s'arrête soudain et s'écrie : « Vraiment, il va falloir nous forcer à prendre une pause ! J'ai déjà oublié deux commandements ! »

Une bonne dame vient mettre à la poste une Bible fort ancienne qu'elle destine à un neveu. Le commis lui demande : « Est-ce que votre paquet contient quelque chose qu'on peut briser ? » Toute innocente, elle répond : « Oui… les dix commandements ! »

Jacob M. Braude

Au-dessous d'une gravure représentant les deux tables des dix commandements, on pouvait lire l'inscription suivante : « Pour un soulagement rapide, prenez deux tablettes… »

Quel que soit le but de la prière d'un homme, il demande un miracle. Chaque prière se résume en ceci : « Grand Dieu, faites que deux fois deux ne fassent pas quatre. »

I.S. Tourgueniev

Dans la ville d'Orange, au New Jersey, le nombre grandissant de tempêtes électriques énervait certains marguilliers. Ils décidèrent de consulter Thomas Edison lui-même pour savoir si l'achat d'un paratonnerre ne serait pas une solution. Le grand inventeur leur fournit alors une excuse : « Je vous en prie, voyez-y vite ! Vous savez que la Providence a parfois des pannes de mémoire ! »

Edmund Fuller

« Que l'on prêche dans les églises ne rend pas les paratonnerres inutiles ! »

George C. Lichtenberg

VIE PAROISSIALE

Le curé en chaire : « J'ai toujours proclamé que les pauvres étaient les très bienvenus dans notre communauté paroissiale. À en juger par les quêtes, je vois que j'ai été entendu... ! »

⎯⎯◦•◦⎯⎯

Le même curé humoriste avait aussi plaidé : « Avez-vous remarqué : si ce n'était des dix commandements, vous n'auriez même pas de téléjournal le soir ! »

⎯⎯◦•◦⎯⎯

Il avait aussi cru bon de leur expliquer que ces dix commandements n'étaient pas un truc à choix multiple...

⎯⎯◦•◦⎯⎯

La carcasse d'un âne mort reposait devant l'église. Le curé appelle le service sanitaire de la ville et rejoint un petit futé qui lui dit : « Mais... je croyais que c'était votre métier de prendre soin des morts ! » Le curé lui répliqua finement : « Exact ! ... mais on commence d'abord en contactant leur parenté ! »

⎯⎯◦•◦⎯⎯

– Le conseiller en pastorale : « Qu'est-ce que c'est des épîtres ? »
– Un enfant qui a de l'oreille : « Ce serait pas les femmes des apôtres... ? »

⎯⎯◦•◦⎯⎯

L'ignorance des jeunes en matière de religion est consternante. Le vicaire s'est vu demander par l'un d'eux : « Pourquoi il y a un signe plus sur les clochers des églises ? ... »

⎯⎯◦•◦⎯⎯

Le même vicaire, décontenancé par l'aveu d'une paroissienne qui croyait en la réincarnation, lui demanda à brûle-pourpoint : « Et votre mari... il croit en ça, lui aussi ? » Et la femme lui rétorqua : « Vous y pensez pas ! Il croit même pas en la vie après souper ! »

⎯⎯◦•◦⎯⎯

Messe sans quête : « Et le Verbe s'est fait pas cher ! »

Un *preacher* a fait une gaffe énorme : il a oublié d'inviter une de ses plus généreuses disciples à sa prochaine *garden-party*. Il décide de corriger le tir en l'appelant personnellement. La vieille dame lui répond : « Trop tard... j'ai déjà prié pour que vous ayez de la pluie ! »

Dans le cadre d'une rencontre œcuménique, un prêtre, un pasteur et un rabbin échangent des idées sur leur façon de prélever la part de Dieu à même les quêtes recueillies. Le prêtre décrivait ainsi sa technique : « Je trace un carré sur le sol, je lance l'argent dans les airs : ce qui reste dans le carré, je le garde, le reste est pour Dieu ! » Le pasteur avoue la ressemblance de sa technique : « Sauf que je trace un cercle au lieu d'un carré ! » Le rabbin révèle donc sa propre façon de faire : « Tout ça se ressemble, confirme-t-il, moi aussi je lance l'argent en l'air : ce que Dieu veut, Il le prend. Ce qui retombe, je le garde ! »

Ben Eliezer

🐝

Le même Eliezer raconte l'histoire de deux Juifs qui s'emmènent aux Portes du Ciel. Saint Pierre, après avoir consulté son grand Livre, leur ordonne d'aller ailleurs. Il fait rapport à Dieu qui a entendu les protestations des deux lascars. « Je les ai mis à la porte ! » Dieu proteste et enjoint le saint portier de les retrouver, mais saint Pierre revient, penaud : « Disparue ! » Dieu demande : « Les Juifs ? » « Non, fait Pierre, la Porte ! »

🐝

« Mark Twain aimait bien mystifier ses interlocuteurs. Un jour, après avoir écouté le sermon d'un évêque épiscopalien, il le félicita tout en ajoutant perfidement : "Mais… j'ai déjà lu tous ces mots dans un livre !" L'évêque le met au défi : "Je voudrais bien voir ce livre-là !" Sur promesse de le lui faire parvenir, Twain lui expédia… un dictionnaire ! »

Edmund Fuller

🐝

« Dans le régime des âmes, il faut une tasse de science, un baril de prudence et un océan de patience. »

Saint François de Sales

CE N'ÉTAIT QU'UN DÉBUT

« Adam est le seul homme indispensable... »   *Tailspinner*

« L'évolution, c'est tout simplement une ruse de Darwin pour faire passer Adam pour un singe... »   *Robert Jones*

« Notre Père céleste a créé l'homme parce qu'il était déçu du singe. »   *Mark Twain*

« Quand Dieu a créé l'homme, Il ne faisait qu'une expérience. »   *Graffiti*

« Je me demande si Adam réprimandait Ève parfois pour ses extravagances dans l'usage des feuilles de vigne ? »   *Helen Rowland*

« Dès lors qu'Ève donna une pomme à Adam, il y a toujours eu mésentente entre les sexes au sujet des cadeaux... »   *Nan Robertson*

« Vendredi, ce fut le jour où Dieu créa les poissons... »   *Levinson*

« L'Éternité, c'est le dimanche du Temps. »   *E. Hubbard*

« Mathusalem est l'homme le plus âgé enregistré par la Bible; il mourut à l'âge de 969 ans, l'année même du Déluge, ce qui était bien, parce qu'il ne savait pas nager... »   *Levinson*

« Selon le *preacher* Simmons, les choses vont beaucoup mieux. Il reçoit des boutons de meilleure qualité dans la quête ! »

La femme d'un jeune pasteur lui demande de réciter le bénédicité avant d'entamer le repas. Celui-ci soulève alors le couvercle du chaudron et s'aperçoit qu'il s'agit des restes du repas de la veille. « Chérie, dit-il spontanément, ce ne sera pas nécessaire : j'ai déjà béni tout ça ! »   *Prochnow*

Un automobiliste, exaspéré de ne pas trouver une place où stationner, s'installe dans une zone interdite et laisse une note sur son pare-brise : « J'ai fait 20 fois le tour du secteur sans trouver. J'ai un rendez-vous ultra important : si je le rate, je perds mon job. Pardonnez-nous nos offenses comme nous pardonnons ! » À son retour, il trouve un ticket avec cette mention : « Ça fait 20 ans que je fais le tour de ce secteur. Si je ne vous donne pas de ticket, je perds mon job. Et ne nous laissez pas succomber à la tentation… ! »

« La pauvreté n'est pas un péché et c'est sans doute la meilleure chose qu'on puisse dire à son sujet ! »

Adage américain

« En Inde, les mahométans prient dans les rues. Ce n'est pas une exclusivité. Les piétons font la même chose ici ! »

Meiers et Knapp

« Dieu, dans sa bonté, veut qu'un seul moment nous sauve; encore faut-il que ce moment soit le dernier. »

Anatole France

Un vieux serveur chinois demande à son patron la permission d'aller aux funérailles d'un ami. Le patron, à la blague, lui dit : « Je suppose que tu vas déposer de la nourriture sur sa tombe… Sais-tu à quel moment il va la manger ? » Et le vieux sage de répondre : « Aussitôt que l'ami que vous avez enterré la semaine dernière va sentir les fleurs que vous avez déposées sur sa tombe ! »

Edmund Fuller

À LA DEMANDE GÉNÉRALE...

« L'argent donne des ailes à l'homme, qui peuvent le conduire n'importe où, sauf au Ciel. » *Proverbe russe*

« Là où Dieu vous a semé, là il faut fleurir. » *Proverbe tunisien*

« Les blasphèmes font comme les processions qui reviennent à leur point de départ. » *Proverbe italien*

« Dieu permet que l'homme perde son âne pour lui donner le plaisir de le retrouver. » *Proverbe turc*

« Quand il pleut sur le curé, il dégoutte sur le vicaire. » *Proverbe français*

« L'homme pense. Dieu rit. » *Proverbe juif*

« Quand Dieu vous rend service, il ne s'en vante pas... » *Sagesse juive*

« Ce que Dieu te donne, le vent ne peut pas l'emporter. » *Proverbe du Mali*

« Dieu est où on le laisse entrer... » *Sagesse hassidique*

« Celui qui reçoit de Dieu présente les deux mains. » *Proverbe du Burundi*

« Ne va pas te brûler la main si Dieu t'a donné une cuillère... » *Proverbe arabe*

« C'est une bonne chose qu'on n'ait pas de voisins en enfer. » *Proverbe dominicain*

« L'enfer n'a pas de voisinage... » *Proverbe martiniquais*

« Bel enterrement n'est pas Paradis... » *Proverbe créole*

« Le Seigneur m'a promis un manteau de fourrure et voici déjà que je transpire... » *Adage polonais*

« Dieu ne ferme jamais une porte sans en ouvrir une autre. » *Adage irlandais*

« Les troncs d'église ne refusent pas d'argent. » *Proverbe de Guadeloupe*

« Le saint de la ville ne fait pas de miracles. » *Proverbe ancien*

« S'agenouiller n'est rien, c'est prier qui est important. » *Dicton de la Martinique*

« C'est Adam qui a mangé la pomme et c'est nous qui avons toujours des maux de dents... » *Proverbe hongrois*

« Si j'étais sûr de mourir ce soir, je me repentirais tout de suite ! »

J.M. Barrie

Le fait d'être millionnaire peut engendrer des problèmes cocasses au moment de la mort. C'est ainsi qu'au chevet d'un richissime mourant, on a pu entendre ce dialogue : « Cher oncle… vous avez un caveau en Floride et un autre en Californie… Dans lequel aimeriez-vous mieux être enterré ? » Une lueur d'amusement passa dans l'œil du millionnaire : « Allez-y… faites-moi la surprise ! »

Reader's Digest

« Les services commémoratifs sont les cocktails de la gérontocratie. »

Ralph Richardson

« Les pierres tombales : ces presse-papiers qu'on pose sur les morts pour qu'ils ne s'envolent pas. »

Robert Sabatier

« Des millions de gens attendent l'éternité qui ne savent même pas quoi faire l'après-midi d'un dimanche pluvieux ! »

Susan Ertz

« La prière du matin du philosophe consiste désormais à ne jamais ouvrir le journal, ni la radio, ni d'autre média. Ou s'informer ou savoir, voilà le vrai choix. »

Michel Serres

« Remords : facilités de paiement accordées par la conscience. »

Noctuel

« La conscience suggère : "Faut pas !" L'expérience rappelle : "Faux pas" »…

R.T.

RELIGION À LA CARTE

« Pour être saint, il faut avoir mangé. » *Proverbe du Cameroun*

❦

« Elle suit sa diète religieusement... Elle ne mange jamais à l'église ! »

❦

« Prône : hors-d'œuvre de chaire... » *A. Brie*

❦

Alexis Piron dit un jour à l'évêque de Bayonne : « Monseigneur, j'ai en grande vénération les jambons de votre diocèse ! » *Stéphane Prince*

❦

« Vous ne refusez jamais d'accueillir l'enfant prodigue, à condition qu'il fournisse lui-même le veau ! » *Georges Bernanos*

❦

« Si tu ne digères pas la soutane, ne bouffe pas du curé ! » *A. Vialatte*

❦

Un évêque visitant la cave d'un curé : « Que de cadavres ! » À quoi le curé répondit : « Rassurez-vous, Monseigneur, ils ont tous vu le prêtre avant de mourir ! » *Édouard Nicaise*

❦

« Je meurs ! Jésus, Allah, Bouddha, je vous adore tous ! » *Jim Carrey*

❦

« Toutes les églises et chapelles où on fait des mariages devraient afficher une pancarte disant : *Toute décision est finale* ! » *G. Perret*

❦

« Si Dieu avait voulu que nous mangions du beurre d'arachides, Il nous aurait pourvus de gencives en Teflon ! » *Robert Orben*

❦

« Le coût de la vie a tellement grimpé qu'on a dû changer les paroles du Notre Père : *Donnez-nous aujourd'hui notre pain quotidien, plus les frais d'emballage et d'expédition...* ! » *Gene Perret*

❦

« La culpabilité n'est qu'un moyen que Dieu a imaginé pour nous faire savoir que nous avions trop de bon temps. » *Dennis Miller*

❦

« Fréquenter l'église ne fait pas de vous une bonne personne, pas plus que d'aller dans tel garage ne fait de vous une Cadillac. »

❦

Une enfant contemple les éclairs à travers une fenêtre. Elle demande à sa mère : « Est-ce que c'est le Bon Dieu qui prend des photos ? »

❦

« Dieu nous fournit la viande, le Diable, les cuisiniers. » *Charles VI*

❦

Épitaphe d'un dentiste : « Étranger, sois conscient de ta chance : le docteur John Brown vient de remplir sa dernière cavité. »

« La libre pensée ne constitue souvent qu'une croyance qui dispense de la fatigue de penser. »

Gustave Le Bon

« Je ne crains pas la libre pensée, ce sont les libres arrière-pensées qui m'inspirent des craintes… »

Maurice Donnay

« Pour ceux d'entre nous qui sommes à la fois agnostiques et amateurs de baseball, le Temple de la Renommée du baseball est le plus près de l'expérience religieuse à laquelle on puisse avoir accès. »

Bill Bryson

« Je n'aime pas qu'on m'interrompe quand je prie. Ce n'est pas très poli de mettre Dieu en attente ! »

Milton Berle

« Méditer, c'est entrer en soi sans quitter le monde. »

Robert Sabatier

« Joindre les mains, c'est bien; mais les ouvrir, c'est mieux. »

Louis Ratisbonne

« Donne-moi, Seigneur, le pain quotidien; pour l'eau-de-vie, je me débrouillerai tout seul. »

Dicton juif

« Seigneur, j'ai fait ce que j'ai pu ! Est-ce ma faute si vous n'avez pas parlé plus clairement? Je n'ai cherché qu'à comprendre. »

Maurice Maeterlinck

« Crois en ceux qui cherchent la Vérité; doute de ceux qui l'ont trouvée. »

André Gide

MODERN TIMES

« Que de gens n'iraient pas à l'église si Dieu seul les y voyait. »
Jules Petit-Senn

« Les sectes sont des clignotants qui signalent un défaut dans les circuits de notre civilisation matérialiste. »   *Alain Woodrow*

« Donnez-nous aujourd'hui notre télé, une auto, mais délivrez-nous de la liberté... »   *Jean-Luc Godard*

« Je suis entré dans le confessionnal et dès que la grille s'est ouverte, j'ai dit : "Vous en premier !" »   *Dennis Miller*

« Les télévangélistes prétendent que Dieu leur parle. Dieu leur parle et ils ne sont pas capables d'avoir autre chose qu'un *show* sur le câble... ? »   *Elayne Boosler*

« Mon église est prise d'assaut chaque dimanche ! À tel point qu'on a dû installer des barrières de sécurité pour contenir la foule et même une affiche disant : *Il vous reste 45 minutes avant le sermon.* »
Robert G. Lee

« Je me suis toujours dit qu'un clocher avec un paratonnerre était une preuve de non-confiance... »   *Doug Macleod*

« Chez moi, on était des catholiques sceptiques. On croyait que Jésus avait marché sur les eaux. Mais on se disait que c'était probablement l'hiver... »   *John Wing*

« Même Dieu est devenu une femme. Dieu n'est plus ce patriarche barbu régnant au Ciel. On lui a fait un changement de sexe et Il est devenu Mère Nature. »   *Fay Weldon*

« Être moderne, c'est faire l'éloge des saints morts et de persécuter les vivants... »   *Nathaniel Howe*

« Divorce : le sacrement d'extrême-onction du mariage... »   *A. Brie*

Prière d'un ado : « Mon Dieu veillez sur moi, mes parents pis ma gang... Amen *and* FM ! »

Ma mère est juive et mon père catholique. Quand je vais me confesser, je dis toujours : « Bénissez-moi mon père, parce que j'ai péché... et je crois que vous connaissez mon avocat, Maître Cohen... ? »   *Bill Maher*

« On devrait faire un confessionnal-express pour les six péchés et moins... »

« Je crois au Pouvoir qui a créé l'Univers. Je le prie chaque matin. Ma prière se résume à deux mots : Au secours ! C'est tout, point final ! Je me lève alors et je me mets à l'œuvre. »
Sam Meier

Dans le même livre, on trouve cette petite perle à propos d'un *preacher* qui aurait dit : « Si Dieu avait voulu que les hommes adoptent le système métrique, pourquoi aurait-il donné 12 apôtres à Jésus ? »

« Merci mon Dieu que les hommes ne puissent encore voler et semer leurs déchets dans le ciel comme ils le font sur terre ! »
Henry David Thoreau

Dieu annonce à Moïse : « J'ai une bonne et une mauvaise nouvelle pour toi… » Comme d'habitude, Moïse veut connaître la bonne d'abord. Et Dieu y va de ses explications précises sur la manière de faire échapper son peuple qui fuyait l'Égypte : « Et Je refermerai les eaux de la mer Rouge sur tes poursuivants… » Moïse le remercie et lui demande quelle est la mauvaise nouvelle. Dieu lui dit avec un petit sourire en coin : « C'est toi qui devras te taper la corvée d'écrire au ministère de l'Environnement pour excuser les bévues écologiques ! »
Paul Dickson

« Nos arrières-grands-parents l'appelaient le Saint Jour du Seigneur. Nos grands-parents l'appelaient le Jour du Seigneur. Nos parents, le dimanche et, aujourd'hui, il n'est plus question que de week-end. Nous avons troqué un *Holy Day* pour un *holiday*. »
Wesleyan Methodist

JOYEUX NO HELL

« Noël : le mois le plus joyeux de l'année... »

M. Lauzière

« Je plains Jésus... C'est toujours ennuyeux quand son anniversaire tombe sur Noël... ! »

David Corrado

« Avons-nous oublié le vrai sens de cette fête ? L'anniversaire de naissance de Santa Claus ! »

Matt Groening

« Le Christ est né dans une étable... Comme quoi, hier comme aujourd'hui, on n'assurait pas toujours les services essentiels ! »

Albert Brie

« Jésus est né un jour férié et il est mort un jour férié. On peut donc imaginer que lorsqu'il reviendra, ce sera encore un jour férié... »

Paul Johnson

« Une secte américaine progressiste s'emploie à remettre à jour certains passages de l'Évangile. Ainsi, dans cette version révisée, les Rois mages apporteront maintenant des certificats-cadeaux ! »

Robert Orben

« Récession oblige, les Rois mages se sont consultés et ont décidé d'apporter tous les trois de l'encens... »

Yves Taschereau

On a décidé un jour de sortir la Crèche du Capitol du Texas, comme emblème religieux. Ann Richards, trésorière de l'État à ce moment-là, déclara finement : « Dommage... C'était peut-être notre dernière chance d'avoir *three Wise Men* (les Rois mages) dans cet édifice... »

« L'Amérique est un endroit où des marchands juifs vendent des colliers d'amour zen à des agnostiques à l'occasion de Noël. »

John Burton Brimer

« J'ai donné une Bible en cadeau de Noël à mon neveu. Ça lui a pris six mois avant de comprendre que ça ne fonctionnait pas avec des piles. »

Milton Berle

« Et au soir du cinquième jour, qui avait été le plus éreintant, Dieu dit : "Merci à Moi, c'est vendredi !" Et Dieu fit le week-end. »

Tony Hendra et Sean Kelly

« Amédée, écoute la voix de l'expérience et laisse tomber. J'ai pour demain un coup d'arraché sur la petite sainte Thérèse. J'te prends enfant de chœur *fifty-fifty* et je fournis le costume. Ça peut aller chercher dans les cinq mille chacun.

– La dernière fois, c'était dix !

– La dernière fois, c'était sur saint Antoine. On ne peut pas se faire les têtes d'affiche à tous les coups. »

Extrait du film Courte Tête

« Dieu, je ne le priais pas, je négociais, je lui demandais tout le temps quelque chose ! J'ai même été enfant de chœur pour être mieux placé, je ne voulais pas le braquer. »

Michel Audiard

« Les gens auront beau parler du déclin du christianisme, un système religieux qui a réussi à produire la chartreuse verte ne mourra jamais ! »

Saki (H.H. Munro)

C'est le pasteur baptiste Noir qui exhorte ses fidèles : « Venez, mes enfants ! Venez laver vos péchés ! » L'une de ses ouailles lui rétorque : « J'y suis déjà allé à l'église méthodiste… » Et le bon pasteur de lui préciser : « Mon frère, on ne t'a pas lavé de tes fautes, on ne t'a fait qu'un nettoyage à sec ! »

Edmund Fuller

« La conscience de l'Anglo-Saxon ne l'empêche pas de pécher. Tout au plus l'empêche-t-elle d'en jouir ! »

S. de Madariaga

BIBLE-LOT

« Bible : seul livre vénéré par autant de gens qui ne l'ont pas lu. »

Michel Lauzière

« On a enfin une Bible *politically correct* ! Elle nie que Jésus ait été tué par les Juifs, une ethnie, et propose plutôt qu'il soit mort des suites de la fumée secondaire ! »

Bill Maher

« La Bible est une occasion de prier ou de jurer, selon qu'elle est ouverte ou fermée. »

« Même si vous ne croyez pas un mot de ce qu'on trouve dans la Bible, il faut tout de même respecter celui qui l'a dactylographiée ! »

Lotus Weinstock

« Pieux : se dit quand quelqu'un lit la Bible comme s'il en était l'auteur... »

Colin Bowles

« Je viens de lire la Bible d'un bout à l'autre en 18 minutes : c'est à propos de Dieu ! »

Sam Levenson

« J'ai peur de Dieu...
– Vous êtes de l'Ancien Testament... Dans le Nouveau, c'est Dieu qui a peur. »

Marcel Jouhandeau

« Les commandements de Dieu s'inscrivent aussi dans le ramage des rossignols... »

Joseph Delteil

« Jésus a beau marcher en sandales, y'est parfois dur à suivre ! »

In le DVD de Mario Jean

« Enfer : bientôt le seul endroit sans section non fumeurs. »

Michel Lauzière

« Je crois vraiment que si on introduisait le Notre Père ici, il se trouverait plusieurs sénateurs pour proposer des amendements au texte ! » *Sénateur Henry Wilson*

« Si le Christ revenait sur Terre, quelle religion choisirait-il ? » *Robert Sabatier*

Un *preacher*, en tournée avec son assistant dans un coin reculé du Texas, livre son sermon et on procède à la quête. Les cowboys du coin, peu impressionnés, ne donnent pas un sou. Quand l'assistant montre le chapeau vide au *preacher*, celui-ci s'exclame : « Rendons grâce au Seigneur !

– Pourquoi ?

– Le chapeau est revenu ! »

Steve Allen

« Si vous voulez faire rire Dieu, parlez-lui de vos plans d'avenir. »

Woody Allen

« Qui étais-je pour savoir que le pape était catholique ? Il n'y a personne d'infaillible ! »

George Brown

« Votre Sainteté, vous devez sûrement connaître mon amie Evelyn Waugh : elle est catholique, comme vous ! »

Randolph Churchill

« Le Cercle des couturières est le confessionnal protestant où chacune avoue, non pas ses propres fautes, mais celles de ses voisines. »

Charles B. Fairbanks

« Quand j'étais tout jeune, je priais tous les soirs pour avoir une bicyclette. J'ai ensuite compris que le Seigneur ne fonctionnait pas de cette manière. C'est pourquoi j'en ai chipé une et Lui ai demandé plutôt de me pardonner. »

Emo Philips

Le « Allez en paix ! » bien connu est parfois traduit par certains téléphages comme étant : « Allez, zappez ! »…

Bruno Masure

POUR L'ÉTERNITÉ

« L'éternité, c'est long… surtout vers la fin. » *Attribué à Kafka*

« En termes d'éternité, tout est un commencement. » *Elias Canetti*

« Les femmes ont une vie éternelle plus longue que les hommes… »
Gourio

« Je marche entre deux éternités… » *Diderot*

« L'éternité, c'est la Mort à boire… » *Pierre Dudan*

« Je tâte dans la nuit ce mur, l'éternité. » *V. Hugo*

« Toujours et jamais, c'est aussi long l'un que l'autre. » *Elsa Triolet (?)*

« … Il faut prendre soin de se conduire en toute chose comme si ce qu'on fait devait être éternel. » *Ramuz*

« Si l'éternité était plus courte, la vie serait plus longue. » *Gourio*

Éternité : « Temps consacré à un *ego trip*… » *Jane Wagner*

« Les Anglais ne sont pas un peuple religieux; aussi ont-ils inventé le cricket pour se donner une notion de l'éternité. » *Lord Mancroft*

« Dans sa bonté infinie, Dieu a donné la pluie aux Anglais afin de leur fournir, et pour l'éternité, un sujet de conversation. » *Chester Anthony*

« Dieu n'a sûrement pas créé l'homme tel qu'il est… pour ne vivre qu'une journée. Non, non, l'homme a été fait pour l'immortalité. »
A. Lincoln

« La vie est une virgule insignifiante dans la grande phrase du temps. »
Garratt et Kidd (!)

Après un trop long discours d'après banquet, Einstein déclara : « Je viens de découvrir une nouvelle théorie sur l'éternité… »

« L'éternel féminin… comme disait le monsieur dont la femme n'en finissait pas de mourir… » *Alphonse Allais*

« Notre temps est précieux. Perdons plutôt le vôtre ! » *Boris Vian*

« C'est un trait de la bonté de Dieu qu'Il ait fait en sorte que Thomas et Mrs. Carlyle se soient mariés, faisant ainsi deux malheureux plutôt que quatre… »

Samuel Butler

« Je ne suis pas un fanatique du bilinguisme. Après tout, l'anglais suffisait à Jésus. »

Ralph Melnyk

« Nation chrétienne : qui possède des églises dont beaucoup s'éloignent le dimanche… »

Herbert V. Prochnow

« Dieu commence là où l'homme consent enfin à se taire. »

P. Dudan

« Je me demande si on devrait débuter avec une courte prière et enchaîner avec le rapport budgétaire ou commencer avec le rapport et finir avec une longue prière… ? »

Pat Williams

À un banquet à la Maison Blanche, on pria Bill Moyers, le secrétaire de Presse, de réciter le bénédicité en sa qualité de ministre du culte. Le Président Lyndon B. Johnson, loin de lui, lui demanda : « Parlez plus fort ! » Et Moyers répliqua superbement : « Je ne m'adressais pas à vous, M. le Président ! »

– Le professeur d'éloquence sacrée : « Mettez plus de feu dans vos sermons ! »
– Un collègue : « …ou plus de vos sermons au feu ! »

Talleyrand, voyant passer une procession mariale, se découvre aussitôt, à la grande surprise d'un courtisan qui lui dit : « Je vous croyais en mauvais termes avec l'Église ? » Talleyrand lui explique alors : « Oui, c'est vrai, Dieu et moi nous nous saluons, mais nous ne nous parlons pas ! »

Richelieu venait d'assister au sermon d'un vieux curé de campagne qui l'étonna beaucoup par son aplomb. Il lui demanda donc la raison de cette assurance. Le bon curé répondit sans détour : « Voyez-vous, Éminence, j'ai appris mon sermon devant un carré de choux. Au milieu des choux verts, il y en avait un rouge : cela m'a préparé à parler devant vous ! »

Christian Moncelet

Le prédicateur interrompt son propos pour avaler une gorgée d'eau. Il explique : « Comme vous le voyez, c'est un sermon pré-cuisiné : il suffit d'ajouter de l'eau… »

Feu le professeur Barrett Wendell était allé entendre l'opéra *L'Enfant prodigue*. Il fit ce commentaire : « Tout ce qu'il y a de biblique là-dedans, c'est la présence de quelques veaux gras ! »

Reader's Digest

« Si tu vis à New York, même si t'es catholique, t'es juif ! »

Lenny Bruce

« Face à l'avortement, la position des juifs est qu'un fœtus demeure un fœtus jusqu'à ce qu'il ait fait l'École de médecine… »

SAINT LANGAGE

« Honneur des hommes, SAINT LANGAGE... »
Paul Valéry

— · —

« ... Les mots se laissent dire : le mot feu ne brûle pas; le mot liberté ne libère pas et le mot athée ne supprime pas Dieu... »
Jean-Paul Desbiens

— · —

« On dit qu'au Ciel, on parle hébreu. L'espagnol, rarement... »
R. Firbank

— · —

« À la tour de Babel, toutes les langues étaient officielles : de là la confusion. »
Félix Leclerc

— · —

« Je parle à Dieu en espagnol, aux femmes en italien, aux hommes en français et à mon cheval en allemand... ! »   *Charles V (1500-1558)*

— · —

« Le nombre de choses qu'il n'y a pas lieu de dire augmente chaque jour. »
André Gide

— · —

« Pensée standardisée, idées toutes faites. D'un bout à l'autre du pays, et même chez nos intellectuels, une fois brisé le vernis des mots creux, l'idéal semble être que tous pensent et disent la même chose, et autant que possible qu'ils l'expriment de la même façon. »
Ernest Gagnon

— · —

« Demandez à Napoléon Landais ce que c'est que Dieu, il vous répondra que c'est une diphtongue... »   *Jean Commerson*

— · —

« Comment veux-tu que je te comprenne ? Tu me parles à contre-jour, je ne vois pas ce que tu me dis ! »
Georges Feydeau

— · —

« Il ne jure jamais quand il expédie une balle de golf trop loin, mais là où il crache, le gazon ne repousse jamais ! »
Mildred Meiers et Jack Knapp

— · —

Quand Khroutchev a martelé la tribune avec sa chaussure, Harold MacMillan aurait dit : « Si on pouvait nous traduire ça, au moins on pourrait le suivre ! »

— · —

Un rabbin qui récupérait d'une opération difficile reçoit un bouquet de fleurs avec ces mots : « La congrégation vous souhaite un prompt rétablissement par un vote de 220 à 74... »   *Isaac Asimov*

— · —

« Lorsque l'âme dit "Ah !", ce n'est déjà plus l'âme qui parle. » *Schiller*

— · —

« On les appelle Noirs quand ils votent comme nous et nègres quand ils ne le font pas... »
Gideon Wurdz

— · —

« Ainsi soit *tilt*... » *Philippe Mignaval*   ou « Assis soit-il ! » *Roland Bacri*

Deux Juifs se rencontrent à Brooklyn : « Alors ton fils, il gagne bien ?

– Voui, pas mal, 1 000 $ par mois; et ton fils ?

– Cent dollars par mois : il est rabbin.

– Tu vois, je te l'avais bien dit, c'est pas un métier pour un Juif ! »

Adam

« Dans une synagogue américaine, un Noir est en train de prier. Derrière lui, une voix : "Alors, ça ne te suffit pas d'être Noir ?" »

« Le christianisme est une religion exotique au pays du riz et du vin de palme, puisque c'est la religion du pain et du vin de vigne. »

Paul Valéry

« Sans doute serais-je chrétien, si les chrétiens l'étaient 24 heures par jour. »

Gandhi

« Je sais pourquoi le soleil ne se couche jamais sur l'Empire britannique. Dieu ne ferait jamais confiance à un Anglais dans le noir… »

Duncan Spaeth

« Personne n'est à l'abri d'une sorte d'obésité morale. J'ai souvent besoin de me faire transpirer l'âme. »

Guy Bedos

« C'est le jeûne qui fait le saint, et la sobriété, l'homme de bon sens. »

Jules Renard

« Je viens de laisser les épinards pour le temps du carême. »

«J'ai une âme catholique», disait Érasme, qui ne respectait pas le carême, «mais j'ai un estomac luthérien ! »

«Parce qu'il n'est pas orgueilleux, l'homme saint ne cesse de croître. Parce qu'il ne lutte pas, personne au monde ne peut s'opposer à lui. »

Lao-Tseu

«Les cimetières sont remplis de gens qui croyaient que le monde ne pourrait se passer d'eux… »

«Le ciel ! Quel dommage qu'on ne puisse y aller qu'en corbillard ! »

Stanislaw Jerzy Lec

L'un des signes évidents de la débrouillardise d'un missionnaire, c'est sa capacité à trouver de l'eau bénite dans le désert…

«Le Sahara, c'est en nous qu'il se montre. L'aborder ce n'est point visiter l'oasis, c'est faire notre religion d'une fontaine.»

Saint-Exupéry

Si la chaleur de l'Enfer n'effraie pas trop les grandes stars, c'est qu'elles croient qu'elles iront là avec leurs fans…

«De méchantes langues assoiffées… laissent entendre que les seules émissions de télé tolérées en Enfer sont *Juste pour frire* et *La petite Mort*. »

R.T.

« Le Ciel et l'Enfer sont tout juste à un souffle de nous. »

C'est l'intellectuel américain qui se présente à saint Pierre bien décidé à défendre SES Droits de l'homme : « C'est vrai que vous tenez un registre de toutes nos fautes sur Terre ? » Le saint portier le lui confirme alors. « Mais c'est terrible ! Je considère que je suis un honnête homme… Est-ce que j'ai tué, est-ce que j'ai volé, est-ce j'ai juré… ? » Saint Pierre l'interrompt : « Oups ! Vous avez juré 1 425 300 fois ! » Dépité, l'intellectuel marmonne : « 1 425… *Jesus Christ* !!! »

Débordé de travail, un clerc déplorait de ne pas pouvoir s'évader et se reposer dans une maison de campagne : « C'est peut-être mieux ainsi. Il faut toujours avoir un endroit où l'on ne va pas, mais où l'on croit qu'on serait heureux si on y allait… » Et Chamfort, son ami, de répondre : « C'est vrai. Et c'est ce qui fait sans doute la réputation du Paradis ! »

C. Moncelet

« L'argent parle, disait un prédicateur ambulant, mais pas en latin ! »

« L'homme est l'idéal du chien de ce que Dieu devrait être… »

Holbrook Jackson

« On serait tous encore au Paradis si Ève avait essayé de tenter Adam avec un chou de Bruxelles… » *Milton Berle*

« Adam et Ève furent coupables d'être végétariens. Ils auraient dû manger le serpent. »

Robert Sabatier

« Le mariage d'Ève et d'Adam a été idéal. Adam n'a jamais pu enquiquiner Ève avec les recettes de sa mère et Ève n'a jamais pu lui reprocher d'être moins bien que son ex-prétendant ! »

Steve Allen

Le petit Américain à qui on demandait qui avait été le premier homme répondit très spontanément : « George Washington ! » Après qu'on lui eut expliqué qu'il s'agissait plutôt d'Adam, il eut cette réflexion : « Ah, si vous comptez les étrangers… ! »

« Que l'univers ait été formé par la rencontre fortuite d'atomes, c'est aussi incroyable qu'un mélange accidentel de l'alphabet ait produit le plus subtil traité de philosophie. »

J. Swift

« L'univers m'embarrasse, et je ne puis songer
« Que cette horloge existe et n'ait pas d'horloger. »

Voltaire

« Le monde est créé pour être recréé… »   *Georges Duhamel*

Le philosophe Keyserling se fit poser cette question par une jeune journaliste : « Enfin, pourriez-vous nous dire clairement, en deux mots, ce que c'est que Dieu ? » Il eut cette réplique bien sentie : « Mademoiselle, la façon dont vous posez la question prouve que vous ne vous souciez pas beaucoup de la réponse ! »

« À force d'interroger l'homme, on attend la réponse de Dieu. »

Henri Petit

« Dieu réchauffe Ses mains au cœur de l'homme qui Le prie. »

Masefield

« Chaque sermon qu'il fait est meilleur que le suivant. »

James Montgomery

« Je défie un ermite de jeûner sans donner un goût exquis à son eau claire et à ses légumes. »   *Aldous Huxley*

« Trente moines et leur abbé ne peuvent faire braire un âne contre sa volonté. »

Cervantes

« Le mysticisme est l'art qui consiste à mêler un parfum de cloître à de trop concrètes sueurs. »

Cioran

Le même Cioran décrivait le mystique comme quelqu'un « qui sait parler à Dieu d'homme à homme, si j'ose dire… »

« Si ton voisin a fait un pèlerinage à la Mecque, surveille-le; s'il en a fait deux, évite-le; s'il en a fait trois, change de rue. »

Dicton arabe

« La Poésie est le vin du Diable. »

« Il y a un diable dans chaque raisin de la vigne. »

Le Coran

« La pluie tombe sur le juste comme sur le mécréant, mais surtout sur le juste parce que le mécréant lui a volé son parapluie ! »

Lord Bowen

LES SACREMENTS

« L'extrême-onction confirme la règle. »

Philippe Mignaval

Un curé de village vient d'administrer les derniers sacrements à une bonne vieille. À son mari, qui est là tout près, il demande : « Il y a longtemps qu'elle gémit comme ça ? » Et le mari d'avouer : « Depuis qu'on est mariés ! »

« Si l'on te frappe sur la joue droite, ignore ce que tu fais de ta main gauche, disait Francis Blanche. Mais oublie ça le jour de ta Confirmation ! »

« En France, l'argent est un vilain péché. C'est pourquoi de plus en plus de Français vont se confesser en Suisse ! »

Jacques Mailhot

– Un écologiste : « Je vous l'affirme : l'eau est devenue dangereusement polluée ! »

« De nos jours, c'est devenu plus risqué de se faire baptiser que d'entrer dans la marine ! »

Jeff Rovin

« Baptism : a spiritual sheep dip. »

John Grigg

Un prêtre s'apprêtait à baptiser un nouveau-né. Il demande au parrain quels prénoms ont été choisis. Celui-ci déroule un papier et lit : « Joseph, Alexandre, Paul, Émile, Albert, Fernand, Gaston, Robert, Jean-Paul Roy-Desaulniers ! » Le célébrant se tourne alors vers le sacristain : « Vous mettrez un peu plus d'eau, s'il vous plaît... »

« Il y a deux sortes de mariage : le mariage blanc et le mariage multicolore. Ce dernier est appelé ainsi parce que chacun des deux conjoints en voit de toutes les couleurs. »

Georges Courteline

« Les curés sont consolés de ne pas être mariés quand ils entendent les femmes se confesser. »

Armand Salacrou

« Mieux vaut être martyr que confesseur... »

« Aujourd'hui qui, à part les prêtres, pense au mariage ? »

Louise de Vilmorin

« Le mariage est une cérémonie où l'on passe un anneau au doigt de l'épouse et un autre au nez de l'époux... »

Herbert Spencer

« On ne sait jamais, si le divorce se faisait à l'église avec un curé, des cierges et des enfants de chœur... il serait peut-être un sacrement. »

Doris Lussier

« Vaccination : sacrement médical qui correspond au baptême. »

S. Butler

On parlait de la résurrection de Lazare. Ce qui fit dire à l'un des interlocuteurs : « Ce n'est pas de nos jours qu'on verrait les morts se lever de leur tombeau comme ça ! » Aurélien Scholl eut le mot de la fin : « Ah ! non, la médecine a fait trop de progrès ! »

Christian Moncelet

« Écriteau près d'une réserve indienne : "Il y aura Danse de la Pluie jeudi soir prochain, si le temps le permet…" »

« Chassez le surnaturel, il revient à pas de loup… »

Serge Beucler

« La vérité à propos du sport, de tous les sports, c'est que les sacres y prennent beaucoup trop de place… »

Jimmy Greaves

« Diogène frappait le père quand le fils jurait. »

Robert Burton

« Blasphème : langue paternelle de bien des jeunes. »

Levinson

« Rien ne plaît plus au Diable que l'intolérance des réformateurs. »

Lowell

Jean-Paul II s'américanise, semble-t-il. On dit qu'il ne s'adresse plus à ses adjoints qu'en leur disant : « Salut, légats ! »…

Jean Bondiork

« Il faut aimer ses proches ; quant aux autres, ils sont trop loin. »

Albert Brie

Un prêtre étranger vient présider la mise en terre d'un ami. Il s'informe auprès du gardien de cimetière : « C'est immense votre cimetière ! Il y a combien de morts ici ? » Le travailleur futé répond : « Ils sont tous morts, monsieur l'abbé… ! »

« Le Christ est mort pour nos péchés. Nous devons donc en commettre un de temps en temps, sinon il serait mort pour rien ! »

Jules Feiffer

Un paroissien sollicité par un marguillier pour l'achat de billets pour un concert sacré, se servit de cette échappatoire classique : « Hélas ! j'ai déjà un rendez-vous pour ce soir-là… mais je serai avec vous en esprit ! » Le marguillier nullement décontenancé lui dit : « Bien ! J'ai des billets à 5 $, à 10 $ et à 15 $. Où aimeriez-vous installer votre esprit ? »

« Quand les autos penseront, les Rolls-Royce seront plus angoissées que les taxis. »

Henri Michaux

« On couche sur la paille qui est dans l'œil de son voisin et on se chauffe avec la poutre qu'on a dans le sien… »

Alphonse Allais

« L'Angleterre, qui reproche à la Russie sa Pologne, ne voit pas l'Irlande qu'elle a dans l'œil. »

Victor Hugo

« Pour chatouiller la conscience de l'homme de demain, il faudra peut-être un marteau et des clous. »

Georges Bernanos

« À parler franchement, c'est difficile d'avoir confiance aux Chinois. Quand un serpent vous a mordu, vous devenez soupçonneux même quand vous ne voyez qu'un bout de corde ! »   *Attribué au Dalaï-lama*

« Je n'ai aucun projet concernant l'Amérique. Je n'y retournerais pas même si Jésus-Christ en était le président ! »   *Charles Chaplin*

« Connaissez-vous ce cimetière où l'on n'enterre que des gens célèbres ? On les aligne debout, dans la terre jusqu'à la ceinture. Le haut leur sert de buste… »

« Dieu, dans sa divine prévoyance, n'a pas donné de barbe aux femmes parce qu'elles n'auraient pu se taire pendant qu'on les eut rasées. »   *A. Dumas*

« Quand Dieu eut créé le serpent à sonnettes, le vampire, le crapaud, il lui restait un peu de boue hideuse dont il fit le briseur de grèves. »   *Jack London*

« La France est la fille aînée de l'Église, ce qui tend à devenir le cadet de ses soucis… »   *Robert Sabatier*

« La femme : un chameau que Dieu nous donne pour traverser le désert de la vie… »   *Attribué à Mahomet*

« Jusqu'à l'arrivée de notre mère Ève, le Paradis était un monde d'hommes ! »   *Richard Armour*

« Un démon prit pour femme une guenon : le résultat, par la grâce de Dieu, fut un Anglais ! »   *Proverbe indien*

« Il y a des bigotes qui prient comme les lapins mangent de l'herbe… »   *Ramon Gomez de la Serna*

« CSSR, sigle des rédemptoristes… Un rival aurait traduit : Communauté Sans Sujets Remarquables… »

« OP, sigle des dominicains… Un autre jaloux le définissait comme l'Ordre des Placotteux… »

– « Khomeyni va mourir !
– C'est pas un cadeau pour les asticots ! »   *Gourio*

« Voulez-vous nuire à quelqu'un ? N'en dites pas du mal, dites-en trop de bien. »   *André Siegfried*

« Personne n'est obligé de croire au petit Jésus, au bon Dieu et à la Sainte Vierge. Ni à Adam et Ève. Rien n'empêche de penser que l'Homme est sorti d'une sardine qui a eu envie d'un chapeau mou, d'un lapin qui voulait le bachot. Il paraît même que c'est plus scientifique. Darwin a démontré tout ça avec quelques mâchoires de singes et le tibia d'un gendarme à pied… »

Alexandre Vialatte

Un touriste visite un cimetière de Glasgow. Il regarde les inscriptions funéraires et lit : « Ici repose Sam MacIntosh, un père généreux et un homme d'une grande piété. » Alors, le touriste murmure entre ses dents : « C'est bien les Écossais, ça… Trois hommes dans une seule tombe ! »

Jean Bambois

Un touriste visite Israël et fait une pause obligée au fameux mur des Lamentations. On lui explique le caractère sacré de ce symbole qui, pour les croyants, permet de converser avec Dieu. Il s'approche, intimidé, et implore : « Seigneur, apporte l'abondance à ce pays ». Et il entend : « Je le ferai ! » Encouragé, il continue : « Seigneur, fais que les Juifs et les Arabes vivent ensemble et en paix ! » Il ré-entend la même voix : « Tu te rends pas compte que tu parles à un mur ? »

Milton Berle

« Lorsque l'incrédulité devient une foi, elle est plus bête qu'une religion… »

Frères Goncourt

« Deux restaurateurs juifs décrochent une audience du pape. Ils montrent au Saint-Père un tableau représentant les 12 apôtres en train de manger avec le Christ. Le pape admire la toile : "Mais oui… C'est bien la Cène, avec mon prédécesseur saint Pierre." L'un des deux hommes d'affaires suggère alors : "Ça tombe bien… C'est pour ça qu'on est venus : ils sont partis sans payer l'addition !" »

Michel Leeb

Un joli petit vison qui avait mené une vie propre, propre, propre s'emmène tout guilleret chez saint Pierre. Le bon portier lui dit : « Malheureusement, je ne peux pas te recevoir ici, avec les élus… Enfin, c'est exceptionnel et… ce serait trop long à t'expliquer. Mais j'aimerais tout de même te faire un cadeau de bienvenue. Que dirais-tu d'un manteau en peau de femme du monde… ? »

Jésus, Moïse et un vieillard disputent une ronde de golf dans un coin discret du Paradis. Moïse envoie sa balle dans le lac, mais d'un geste, il sépare les eaux en deux et reloge sa balle sur le vert. Jésus s'installe ensuite et expédie aussi sa balle dans le lac. Marchant sur les eaux, il la récupère et la loge en moins fâcheuse position. C'est au tour du vieillard. Sa balle décrit un arc de cercle parfait et amerrit dans le lac au moment où un poisson en sortait. D'un coup de queue, il retourne la balle qui frappe une branche d'arbre pour tomber ensuite entre les pattes d'un écureuil qui la rejette en plein dans le trou ! Et Jésus en colère de s'exclamer : « Dis donc, Papa, es-tu venu pour jouer au golf ou pour nous faire un show ? »

Jeff Rovin

« La Genèse dit qu'il n'est pas bon que l'homme soit seul, mais ça peut le reposer grandement… »

John Barrymore

Le Créateur, selon la Genèse, aurait dit : « Il n'est pas bon que l'homme soit seul. » Ensuite, il a dû penser, mais sans le dire : « Créons-lui des embêtements ! »

Albert Brie

Je ne crois pas en la réincarnation ! Je n'y croyais même pas quand j'étais un hamster.

Shane Richie

Cédant aux pressions nombreuses de gens qui lui demandaient un miracle, Jésus redescend sur Terre et s'apprête à marcher sur le lac Tibériade. Hélas ! Il se met à enfoncer ! Tout à coup, Il y pense : « Mes excuses aux gens de presse, j'avais oublié qu'on m'avait fait des trous aux pieds ! »

« Il faut se rendre à l'église très à bonne heure pour avoir une place dans la dernière rangée… »

Milton Berle

Le monde moderne ! Saint Joseph a maintenant toute une quincaillerie informatique pour le rejoindre : ils appellent ça l'*Oratware* ! Elle serait reliée, pour le plus grand plaisir des âmes en attente de salut, au bien connu *Purgatware* !

De tout temps, l'Église a eu de la compassion pour « les petits, les obscurs, les sans-grades » et, entre autres, pour les ivrognes, à qui on disait parfois : « À tout pichet, miséricorde ! »

J. Bondiork

– Le vicaire : « Je me suis permis d'amener un ami à souper… »
– Le curé distrait : « J'ai pas faim ! … »

Un vieux curé dit à son jeune vicaire : « Ne parle pas trop de Dieu, tu risques de lui faire du tort… »

J. Grand'Maison et S. Lefebvre

« Que Dieu préfère les imbéciles, c'est un bruit que les imbéciles font courir depuis 19 siècles ! » *François Mauriac*

« Si Dieu avait voulu que nous vivions toujours sur un *high*, Il nous aurait fourni des ailes ! » *A. Hall*

« La myrrhe appartient à ceux qui se lèvent tôt… »

P. Mignaval

223

Scène imaginaire : Marie est au pied de la croix. Elle dit à Jésus : « Mon ange, descends de la croix. Quelqu'un a besoin de bois… »

Saint Pierre s'adresse à l'un de ses adjoints : « Dis donc, as-tu demandé à Jésus ce qu'Il voulait comme cadeau à Noël ? » Et l'ange répond, un peu blasé : « Toujours la même chose… de l'or, de l'encens et de la myrrhe ! »

Fred Metcalf

– Le chirurgien : « Votre guérison est un miracle ! »
– Le patient : « D'accord, je paierai Dieu directement ! »

– Le chanoine sportif : « Fantastique ! Un trou d'un coup ! Merci mon Dieu ! »
– La dame patronnesse : « Oh ! recommencez, je ne vous ai pas vu le faire ! »

« Le seul sport que j'aie jamais pratiqué est la marche à pied, quand je suivais les enterrements de mes amis sportifs. »

G.B. Shaw

« Je suis passé récemment du côté des *Christians Science*. C'était le seul plan d'assurance santé que je pouvais me payer. »

Betsy Salkind

Deux Témoins de Jéhovah frappent à une porte anonyme. Un ado leur répond. L'un des Témoins proclame : « Mon ami, nous t'apportons la Lumière ! » Le jeune se retourne et crie à sa mère : « M'man, les gars d'Hydro-Québec ! »

Par un hasard providentiel, Lady Di et Mère Teresa se retrouvent côte à côte sur le chemin doré du Ciel. Avec son petit air enjoué, la sainte de Calcutta demande à sa royale amie : « Dites-moi, comment se fait-il que vous portiez déjà une auréole… alors que moi… ? » Et Lady Di d'expliquer : « Ça, ce n'est pas une auréole… c'est le volant de la Mercedes ! »

« Moi, je crois en la réincarnation ! C'est pour ça que je n'ai pris aucune chance : dans mon testament, je me suis tout légué à moi-même ! »

Invitation à un bal pour des gens croyant en la réincarnation : « Venez comme vous étiez… ! » *Milton Berle*
« Dieu a recommandé le pardon des injures, il n'a point recommandé celui des bienfaits… »   *Chamfort*

Une vieille dame dont le chat préféré vient de mourir se présente dans un presbytère. On lui explique qu'on ne fait pas de funérailles d'église pour un animal. Elle tente alors sa chance chez un rabbin qui lui fait la même réponse. Découragée, elle dit : « J'aimais tellement mon chat que j'étais prête à verser 2 000 $ pour une cérémonie. » Le rabbin enthousiaste s'exclame : « Ah ! pourquoi ne m'avoir pas dit tout de suite que votre chat était juif… ? »   *Jerry Clower*

La leçon de catéchèse avait porté sur l'histoire du fils prodigue qui revient à la grande joie du père, mais…
« Quelqu'un n'était pas content… Qui me dira qui ? » Un enfant génial répondit : « Le veau gras, monsieur l'abbé ! »   *Prochnow*

Un touriste qui visitait le Nouveau-Mexique s'informait auprès d'un aborigène : « Est-ce vrai qu'il ne pleut jamais ici ? » L'Indien prit un temps de réflexion et dit : « Vous connaissez l'histoire de Noé et de l'Arche ? Eh bien, cette fois-là, nous, on en a eu à peu près un demi-pouce ! »

Sunshine Magazine

Les baptistes baptisaient ! Une de leurs recrues se présente, ultra craintive, au bord de l'eau. On l'immerge et elle en ressort effrayée, murmurant d'une voix inaudible : « Je crois… » On la replonge alors, elle émerge en disant tout aussi faiblement : « Je crois… » Les préposés au baptême la rereplongent alors et en la ressortant, lui demandent : « Qu'est-ce que vous croyez ? » Elle répond vivement : « Je crois que vous allez me noyer !!! »

Steve Allen

– Un touriste : « Quel est le nom de la ville qui est au-dessus de Saint-Quentin ? »
– Un paysan : « J'sais pas… Cinquante-deux peut-être… ? »

« Je ne voulais pas implorer Dieu, parce que je ne voulais pas qu'Il sache où j'étais… »

Marsha Doble

– Un touriste : « Merci mille fois, mon père, on a bien apprécié de vous avoir comme guide ! »
– Le moine-guide : « Ça m'a fait plaisir ! Si vous avez besoin de quoi que ce soit, appelez-moi : je vous dirai comment vous en passer ! »

« J'ai été manger chez le pape. Qu'est-ce qu'il est sympa ! Mais alors, elle ! … »

Coluche

SCIENCES

« Les scientifiques ont réduit le nombre des calamités pour lesquelles on pouvait blâmer Dieu... »
John Leonard

« La science sans religion est boiteuse, la religion sans la science est aveugle. »
Albert Einstein

« Les scientifiques sont des voyeurs qui mettent leur nez dans le trou de serrure de l'Éternité... »
Arthur Koestler

« Ce n'est pas la Science qui est irréligieuse, ce sont les savants. »
Paul-Jean Toulet

« Notre puissance scientifique dépasse notre puissance morale. Nous avons des missiles téléguidés et des hommes sans guides. »
Martin Luther King

« Il y a toujours un moment où la curiosité devient un péché, et le diable s'est toujours mis du côté des savants. »
Anatole France

« Je ne prie jamais pour de l'argent. J'ai le sentiment que le Seigneur est mon berger, pas mon banquier. »
Robert Orben

« L'intérêt et l'ambition sont les clefs avec lesquelles le bon Dieu remonte la mécanique humaine. »
Albert Willemetz

Un *preacher* tente de convaincre un de ses auditeurs que l'abus d'alcool risque de lui faire rater sa vie : « On me dit que tu es allé jusqu'à tirer des coups de feu sur tes voisins ! Ne vois-tu pas qu'aucune bonne chose ne peut venir de l'alcool ? » Et l'ivrogne de contester : « Si, si, il y en a une : si j'avais pas été saoul, je les aurais pas ratés ! »
Jacob M. Braude

« Ah ! *Home sweet Hell !* »
Al Bundy

SALUTS ÉTERNELS

« Il planifie de manière à aller au Ciel quand il mourra. Il n'aime pas du tout les foules ! »
Gene Perret

« J'ai peur de rencontrer Dieu et qu'Il se mette à éternuer et que je ne sache pas quoi lui souhaiter ! »
Ronnie Shakes

« Je me fais du souci pour ce qui est d'aller au Ciel. Quand saint Pierre nous ouvre les portes, quel pourboire lui laisse-t-on ? »
Gene Perret

« Je fais des dons à toutes les religions. Je détesterais gâcher mon au-delà pour un détail technique. »
Bob Hope

« Je fais souvent ce cauchemar : je me vois aller au Ciel, il y a Dieu qui me remet une paire d'ailes et je sens que je devrai Lui avouer que j'ai peur des hauteurs ! »
Gene Perret

« Tous les saints ont un passé et tous les pécheurs un avenir ! »
Anton Tchekhov

« Chez aucun peuple, la croyance à l'immortalité n'a été aussi vive que chez les Celtes. On aurait pu leur emprunter de l'argent avec promesse de le rendre dans l'autre monde. Nos usuriers chrétiens devraient les prendre pour modèles. »
Henri Heine

Un curé est appelé au chevet d'un alcoolique. Apercevant une bouteille à moitié vide à côté du moribond, il le semonce ainsi : « Vous êtes sur le point d'être jugé par Dieu et c'est tout ce que vous avez trouvé comme consolation… ? » Le mourant lui dit dans un souffle : « Oh non, monsieur le curé, j'en ai une autre pleine dans le placard ! »
Michel Leeb

« Ma femme m'a vraiment poussé vers la religion : je n'avais jamais cru à l'Enfer avant de la marier ! »

Hal Roach

Un triste sire réfléchit à voix haute : « Ma femme et moi, ça fait 11 ans qu'on est mariés… Je suis catholique, donc oublions la possibilité de divorce. Mais… je suis Irlandais, il y a toujours une possibilité de meurtre ! »

J.J. Wall

« Quand des hommes deviennent vertueux dans leur vieillesse, ils font seulement à Dieu un sacrifice des restes du diable. »

A. Pope

« Vous rendez-vous compte que sans la peine capitale, on n'aurait pas de fête de Pâques… ? »

Une jeune touriste irlandaise se présente dans un bureau de poste à Paris et demande, après s'être identifiée : « Il y a des lettres pour moi ? » Le commis lui demande : « Poste restante ? » Et elle réplique avec conviction : « Oh non, monsieur, catholique ! »

Michel Leeb

« Ma mère est contre l'avortement pour une raison bien spéciale… Elle ne trouve pas que c'est juste de tuer le fœtus et de laisser le père vivant… ! » *John DeBillis*

« Une prière, c'est un message expédié à Dieu, le soir, quand les tarifs sont moins chers… »

« Un moraliste, c'est quelqu'un qui est si imprégné de principes qu'il n'a plus de place ni pour la tolérance, ni pour la compassion. »

Lord Moran

« Un saint est quelqu'un avec qui c'est un enfer de vivre. »

Cushing

« L'honneur est un vieux saint que l'on ne chôme plus. Il ne sert plus de rien, sinon d'un peu d'excuse. »

M. Régnier

« Une société d'athées inventerait aussitôt une religion. »

Balzac

« Ton Christ est juif… ta voiture est japonaise… ton couscous est algérien… ta démocratie est grecque… ton café est brésilien… Et tu reproches à ton voisin d'être étranger ? »

Julos Beaucarne

Les funérailles de l'animateur de *Pour qui sonne le Gala* ont été retransmises en direct sur T'es Défunt, Antenne Dieu et France Croix !

Coluche

Un Noir a tenté sans succès d'être admis dans une église réservée aux Blancs. Le pasteur Blanc lui a dit : « Allez donc dans l'une de vos églises. Il y en a une à six coins de rue d'ici ! » Le pauvre Noir dépité s'y est rendu et de rage, a demandé à Dieu : « Pourquoi cette stupide ségrégation ? » Et Dieu lui a répondu : « Ne t'en fais pas, fils, il y a des années que J'essaie Moi-même d'y entrer sans y parvenir ! »

Milton Berle

Au cours d'un meeting de production, Johnny Carson dit : « Il faut faire allusion au tremblement de terre d'hier. Quelqu'un a une idée ? » Pat McCormick intervint alors : « On pourrait peut-être parler de l'annulation de la conférence sur la mort de Dieu… ? »

« Les sanctuaires sont trop étroits pour les chercheurs de Dieu. »

Adage arabe

Comme on dit en Martinique : « Il y a toujours un diable pour empêcher la procession de passer… »

Et en Belgique, on prétend aussi que : « Les anges ne croient au diable que quand ils ont reçu un coup de cornes… »

« Un Irlandais ne se laisserait jamais enterrer dans un cimetière anglais. Il crèverait plutôt ! »

Robert Benayoun

« Mort depuis six mois est aussi mort qu'Adam. »

Dire anglais

« Vivez parmi les hommes comme si Dieu vous voyait ; parlez à Dieu comme si les hommes vous écoutaient. »

« Je ne nierai pas que les femmes sont folles : Dieu Tout-puissant les a créées pour qu'elles soient les égales des hommes ! »

G. Eliot

« Mes amis, laissez le temps à Dieu. Lorsqu'il vous fera signe et vous délivrera de ce service, alors vous irez le trouver. Pour l'instant, acceptez de demeurer dans le pays où Dieu a fixé votre existence. »

Épictète

« C'est entreprendre sur la clémence de Dieu que de punir sans nécessité. »

HARPE-EN-CIEL

« Des cours de harpe ne vous garantissent pas le Ciel… »   *L. Fechtner*

———◆———

Le seul instrument que les Juifs préfèrent à la harpe, c'est le *sell low*…
                                                    Gideon Wurdz

———◆———

– Saint Pierre : « Et voici votre harpe d'or… »
– Le nouvel élu : « Et c'est combien le premier paiement ? »

———◆———

« L'ascète n'a rien à lui que sa harpe… »   *Joachim de Flore*

———◆———

Épitaphe rédigée par Lionel Barrymore : « J'ai tout joué, sauf de la harpe. »
                                                    Reader's Digest

———◆———

« À la fête des saints Anges, on entonne le *Harpy Birdie* ! »   *R.T.*

———◆———

« Les hommes recouvrent leur diable du plus bel ange qu'ils peuvent trouver. »
                                                    Marguerite de Navarre

———◆———

Au milieu d'un banquet, un grand silence se fait tout à coup. Un convive lance alors la phrase traditionnelle : « Un ange passe ! » Et Tristan Bernard, qui n'avait pas mangé à sa faim, chuchota à sa voisine : « S'il repasse, faites-moi signe, je prendrais bien une aile ! »

Adam, se sentant seul au Jardin, implora Dieu de lui donner de la compagnie. Dieu l'avertit : « Ça va te coûter un bras… ! » Et Adam de lui faire une contre-proposition : « Qu'est-ce que je pourrais avoir pour une côte… ? »

🐝

« Jésus, de retour sur terre, s'étonnerait qu'on le commente tant et qu'on essaie si peu de l'imiter. »

J. de Bourbon Busset

🐝

« Il y a trois choses vraies : Dieu, la sottise humaine et le rire. Puisque les deux premières dépassent notre entendement, nous devons nous arranger au mieux avec la troisième. »   *John F. Kennedy*

« Dans une communauté juive éloignée, un malfaiteur fut arrêté après avoir perpétré un meurtre crapuleux. On mit sur pied une Cour de jugement qui ne tarda pas à le condamner à la pendaison. C'est là que le rabbin s'avéra être un homme sage. Quand on voulut trouver un bourreau et devant le prix exorbitant que demandaient ces exécuteurs de l'étranger, il fallut prendre une décision. Le rabbin suggéra alors ceci : « Donnons 10 roubles au condamné en lui disant d'aller se faire pendre ailleurs ! »

Popeck

Si l'on se fie au dictionnaire, un Juif est un descendant des anciennes tribus de Judée… Mais, entre vous et moi, on sait bien que c'est surtout celui qui a tué notre Sauveur. Plusieurs se demandent : « Pourquoi avez-vous tué le Christ ? » Je ne pourrais pas le dire exactement, mais j'avancerais peut-être cette hypothèse : « Les Juifs l'ont tué parce qu'il refusait de devenir médecin… »

Lenny Bruce

Saint Pierre se tient, bien comme il se doit, devant les deux portes d'entrée du Ciel. Une longue file emprunte celle de droite, après les vérifications d'usage. Le suivant vient pour faire comme les autres quand le Grand Portier l'arrête. Examinant son livre, il lui demande : « Vous êtes bien médecin ? » Sur la réponse affirmative du nouvel élu, saint Pierre conclut : « C'est donc la porte de gauche pour vous, l'entrée des fournisseurs ! »

Michel Leeb

Une société charitable avait organisé un encan de toiles d'artistes locaux. Durant l'événement, l'encanteur interrompit les enchères pour annoncer qu'un paroissien avait perdu son porte-monnaie avec une grosse somme dedans. On entendit une voix : « Cinquante dollars ! »

« Depuis le temps que nous y allons de notre poche parce que le Christ reviendra parmi nous ! Tout à fait entre nous, ce Christ, il va nous revenir à combien ? »

Roland Bacri

« Avec nos supermarchés comme églises et nos *jingles* commerciaux comme litanies, comment pouvons-nous épater le monde avec notre vision des idéaux et du mode de vie de l'Amérique ? »

A. Stevenson

Le ministre protestant croise un ado avec son attirail de baseball : « Ah ! Ah ! … ça explique pourquoi tu n'es pas venu à l'église dimanche dernier : tu as préféré le baseball ! » L'ado de protester : « Vous vous trompez royalement… Et j'ai une belle brochette de truites pour le prouver ! »

R. Shelley

Un évêque anglican en visite à New York hèle un taxi et demande : « Christ Church, please ! » Le chauffeur irlandais a bien reconnu l'accent du client et le dépose devant la cathédrale St. Patrick. Le prélat est en colère : « Je vous ai demandé Christ Church ! » Avec un petit sourire entendu, le chauffeur lui explique : « Vous savez, c'est ici qu'Il demeure quand Il est en ville ! »

Milton Berle

Du même humoriste américain, cette légende : « Le premier ministre d'Israël est à la Maison Blanche. Il voit sur le bureau de son homologue trois téléphones : un noir, un rouge et un blanc. Impressionné, il demande : "Pourquoi le rouge ?" Le président répond : "C'est pour rejoindre mon collègue de Moscou !

– À combien vous revient chaque appel ?

– À 100 $ chaque minute, environ !

– Et le blanc ?

– C'est pour rejoindre Dieu… C'est beaucoup plus cher : autour de 10 000 $ pour chaque minute !" Le président israélien n'a pas l'air du tout épaté : "J'ai aussi une ligne directe pour rejoindre Dieu… C'est 25 cents par appel !

– Comment est-ce possible ? fait l'Américain.

– Chez nous, c'est un appel local…" »

Du livre de Shelley : c'est l'histoire d'un pasteur qui a trouvé ce subterfuge pour augmenter sa collecte de fonds en baisse. Il annonça ceci : « Mon sermon terminé, je demanderais à tous ceux qui sont intéressés à donner pour notre fonds de construction de se lever quand l'organiste jouera un air de circonstance… » Et il fit jouer le *Ô Canada* !

Le vieux curé d'une paroisse pauvre dort comme un pape. Un voleur s'introduit alors dans sa chambre et le réveille brutalement : « Si vous faites un geste, vous êtes un homme mort ! Tout ce que je cherche, c'est votre argent ! » Le curé ne s'énerve pas du tout et fait : « Laissez-moi faire de la lumière, je vais chercher avec vous ! »

Un prêtre bostonien s'approche d'un groupe d'enfants entourant un chien au pedigree douteux. « Qu'est-ce que vous faites ? », s'informe-t-il. « C'est un concours de mensonges ! Pour le plus gros, on donne le chien en prix. » Le *clergyman* les apostrophe gentiment : « C'est pas fort votre affaire ! Quand j'avais votre âge, je ne perdais pas mon temps à conter des mensonges ! » Le chef de la bande s'exclame aussitôt : « Le chien est à vous, mon père ! »

— Le curé compatissant : « J'ai appris la mort récente de votre mari. J'espère au moins qu'il n'a pas trop souffert… »
— Sa paroissienne : « Non… On était mariés depuis seulement six ans ! »

François Biron et Georges Folgoas

Un ministre méthodiste dédié à un secteur pauvre est obligé de quémander son maigre salaire mensuel à un administrateur peu vigilant… Il explique qu'il ne peut s'en passer, famille oblige ! Le trésorier réplique : « Ah ! l'argent… Je ne pensais pas que vous prêchiez pour de l'argent. Je croyais plutôt que vous prêchiez pour les âmes ! » Le pasteur excédé lui dit : « Les âmes ! On ne se nourrit pas avec des âmes… Et si c'était possible, ça en prendrait sûrement un millier comme la vôtre pour faire un repas ! »

— Une bonne âme : « Il y a sûrement une place spéciale au Ciel pour les épouses de pasteurs ! »
— L'épouse du pasteur : « Peut-être, mais je préférerais rester auprès de mon mari ! »

L. et F. Copeland

« Il avait le visage de quelqu'un qui a enfreint tous les commandements… »

John Masefield

« Dieu a fait la liberté, l'homme a fait l'esclavage. »

M.J. Chénier

– Le client : « Est-ce qu'on sert du crabe ici ? » Sur la réponse affirmative de l'hôtesse, le jésuite qui accompagnait son ami d'enfance lui dit : « Je te l'avais dit… Ils servent n'importe qui : tu peux venir t'asseoir ! »

« La journée de jeûne qui précède la fête de Yom Kippur chez les juifs n'est pas également facile pour tout le monde… Un assidu de la synagogue, pris d'une fringale irrépressible, s'engouffre dans un bon restaurant et commande des huîtres. Un autre assidu hassidim le découvre alors en flagrant dépit ! Le goinfre subit les reproches de son congénère et risque, un peu penaud : « Qu'est-ce que tu as contre les huîtres ? Yom Kippur, ça s'écrit avec un R, non ? »

Milton Berle

Le même ami parlant d'un récent voyage de pêche : « Tu aurais dû voir le poisson qu'on a sorti de là ! Il était long comme ça ! Je n'ai jamais vu un poisson pareil ! » Et son jésuite d'ami, prenant la pause du confesseur intime, fit simplement : « Je te crois, mon fils ! »

« Ma femme n'a pas inscrit notre fille cadette à l'école catholique parce que certains professeurs battent les élèves. Alors, on l'a mise à l'école publique, où certains enfants battent les profs… »

Colin Quinn

« Le Dieu auquel nous croyons n'est pas celui que nient les athées. »

Cardinal Seper

« Que vous soyez athées ou croyants, peu importe ; si vous vous sentez frères, c'est que vous avez le même Père. »

Mgr H. Camara

Un fervent mormon discutait avec Mark Twain de la légitimité de la polygamie, reconnue dans cette secte. Il lui disait : « Trouvez-moi un seul passage biblique qui l'interdise ! » Après un court laps de réflexion, Mark Twain suggéra : « Que diriez-vous du passage où il est dit que nul ne peut servir deux maîtres… ? »

L'ambassadeur français au Vatican était sourd comme un pot. Un jour, il envoie une note confidentielle à Paris qui débutait comme suit : « Le Saint-Père m'a laissé entendre… » Le fonctionnaire à qui on l'avait confiée trancha alors : « Classez cette lettre dans les miracles ! »

Si jamais l'écrivain Rushdie est capturé par les extrémistes islamiques qui l'ont condamné, sera-t-il torturé au Coran alternatif, comme disait Michel Audiard ?

« Dieu nous a donné deux oreilles et une bouche pour nous apprendre à ne dire que la moitié de ce que nous entendons. »

E. Herriot

Prière bourguignonne : « Et procurez du vin à ceux qui n'en ont pas ! »

« Le rire, c'est la main de Dieu tendue vers notre monde troublé… »

Révérend Oliver Wilson

Deux soldats israéliens interceptent un duo qui s'apprête à passer la frontière. Aux questions d'usage, l'homme dit s'appeler Joseph et être en direction de Bethléem avec sa femme Marie, enceinte d'un fils qu'ils doivent appeler Jésus. Les sentinelles les laissent alors continuer. Un peu plus loin, l'homme dit à sa femme : « Je te l'avais dit, Fatima… ils nous ont pris pour des Portoricains ! »

James T. Walker

« J'appartiens à ce peuple qu'on a souvent appelé élu. Élu ? Enfin, disons en ballotage… »

Tristan Bernard, d'ascendance juive

« Ce qui paralyse une vie, c'est de ne pas croire et de ne pas oser. Il ne s'agit pas de savoir si l'eau est froide, il faut passer. »

Pierre Teilhard de Chardin

« La mer, ça baisse jamais ! À mon avis, quelqu'un rajoute de l'eau ! »

Jean-Marie Gourio

« Il ne faut pas prendre les messies pour des gens ternes… »

R. T.

« Que si le moi est haïssable, aimer son prochain comme soi-même devient une atroce ironie… »

Paul Valéry

« On s'est marié pour le meilleur et pour le pire, mais pas pour de bon ! »

Fred Metcalf

M⊕TS DE LA FIN

Oscar Wilde était près de mourir. Il n'aimait pas les nouveaux rideaux de sa chambre. Ce qui lui fit dire : « Ou bien ils s'en vont, ou bien c'est moi qui le fais ! »

⸺◈⸺

« Johnny Carson aurait demandé qu'on inscrive sur son monument funèbre : "Je reviens dans un instant !" »   *Merrit Malloy et Marsha Rose*

⸺◈⸺

Un journal de Hollywood avait demandé à certains artistes de penser à une phrase qu'ils aimeraient prononcer à leur mort. Voici quelques réponses :

« Excusez ma poussière ! »   *Dorothy Parker*

« Un *gentleman farmer* revient à sa terre... »   *Lewis Stone*

« Do not disturb ! » (« Ne dérangez pas ! »)   *Constance Bennett*

Leslie Halliwell

⸺◈⸺

Le dramaturge George S. Kaufman, prié de suggérer quelle épitaphe il souhaiterait sur sa tombe, suggéra ceci : « Over my dead body ! »

⸺◈⸺

Disraeli était sur son lit de mort. On l'informa que la Reine Victoria, veuve depuis un certain temps, tenait à le voir. Il eut la force de refuser en disant : « Non, j'aime mieux pas... Elle ne ferait que me confier un message pour son Albert ! »

⸺◈⸺

Henri Meilhac, un populaire librettiste, apprend qu'il souffre de la goutte. Sa réaction : « Me voilà bien ! Impossible de faire un pas. Vous verrez qu'à mon enterrement, je ne pourrai pas aller jusqu'au cimetière ! »

⸺◈⸺

L'homme d'État anglais Edward Thurloy : « Que je sois pendu si je ne suis pas en train de mourir ! »   *Claude Aveline*

⸺◈⸺

« Les enfants d'Israël voulaient du pain
  Le Seigneur leur a fait don de la manne
  À cet homme qui voulait un coup de main
  Le Diable lui envoya Suzanne... »   *Épitaphe d'un mari pour sa femme*

⸺◈⸺

Dernières paroles imaginées pour certains :

– Un garçon d'ascenseur : « Going up ! »

– Un chef de train : « End of the line ! »

– Un joueur de cartes : « Je passe ! »

– Le Veau gras : « J'ai entendu dire que le jeune maître est rentré ? »

Gyles Brandreth

⸺◈⸺

« Un gros fumeur vient de mourir. Sa veuve fit graver sur son monument : *Paix à ses cendres !* »

« Les épreuves que Dieu lui envoie… On dirait qu'elle parle d'un photographe ! »

Jules Renard

Des turbulences agitent un avion au point qu'une vieille dame, dont c'est le premier voyage, panique et se met à hurler. Un missionnaire qui se trouve à bord tente de la calmer. Rien n'y fait. La dame le secoue alors en lui disant : « Vous êtes un homme de Dieu, vous pouvez faire quelque chose ! » Le bon père précise donc : « Pauvre madame, moi, je suis vendeur, je ne suis pas gérant ! »

Fred Metcalf

« Le génie, c'est Dieu qui le donne, mais le talent nous regarde. »

Gustave Flaubert

« Ce que nous appelons le hasard, c'est peut-être la logique de Dieu. »

Georges Bernanos

« Si Ève avait eu à recoudre les feuilles de vigne de son mari, elle n'aurait pas écouté si longtemps le serpent ! »

Otto von Bismarck

« La femme a été tirée d'une côte d'Adam, près de son bras pour être protégée, près de son cœur pour être aimée… »

M. Henry

« Chacun est comme Dieu l'a fait, et bien souvent pire ! »

Cervantes

« Dieu nous protège des mauvais voisins et des violonistes débutants ! »

Yves Taschereau

« Bien sûr que je suis chrétien ! Mais, en voyant agir les autres chrétiens, j'ai décidé de garder ça secret ! »

Le prédicateur est à préparer son prochain sermon. Cherchant un peu d'inspiration, il regarde vers la fenêtre et aperçoit… Dieu qui semble l'observer. Paniqué, il appelle son évêque et lui demande comment réagir. Celui-ci lui conseille : « Aie l'air occupé ! »

– Le faux modeste : « Je ne suis qu'un pauvre prédicateur… »
– Un paroissien : « Je sais. Je vous ai entendu prêcher ! »

Sa parole est d'argent, mais son sermon endort…

Un vieil Irlandais rappelait le succès de la récente tombola de sa paroisse : « Quel succès ! Dites-moi, père curé, qui a gagné la Cadillac ? » Le curé précise : « C'est le père Duffy ! Quel chanceux !
– Et la Pontiac ?
– Ah ! c'est monsignor Fogarty ! Quel chanceux !
– Et le troisième prix, la Ford ?
– Elle est allée à monseigneur Donahue ! Quel chanceux ! Et vous, Pat, combien de billets aviez-vous achetés ?
– Pas un maudit ! Quel chanceux, hein ! »   *Hal McKay*

« Dieu : le Verbe au plus-que-parfait… »   *Claude Falardeau*

« Dieu n'est pas trouvé, Il se trouve… »   *Georges Poulet*

Un jour que Mgr Tutu assistait à une séance aux Nations Unies, il se servit des écouteurs mis à sa disposition pour comprendre, par le biais des traducteurs, ce qui se passait en assemblée. Un représentant allemand prit la parole : rien ne sortit dans les écouteurs ! Mgr Tutu dévisagea le traducteur dans sa cabine. Celui-ci haussa les épaules d'impuissance et dit : « Je ne sais pas ce qu'il dit… J'attends un verbe ! »

Asimov Laughs Again

« L'homme qui ne fait pas d'erreur ne fait habituellement pas autre chose… » *W.C. Magee*

« Je crois en Dieu, j'ai dit JE CROIS, j'ai pas dit que j'étais sûr… » *Jean-Marie Gourio*

« Saint Joseph était en train de travailler à son établi de charpentier. Tout à coup, Jésus arrive en courant :
« Vous m'avez appelé, papa ?
– Non, je me suis seulement donné un coup de marteau sur les doigts ! » *Doris Lussier*

« Nous étions des catholiques sceptiques. Nous croyions que Jésus avait bel et bien marché sur les eaux, mais nous avions déduit que c'était probablement l'hiver ! » *John Wing*

Le juge Sir James Mansfield consulte ses pairs pour obtenir leur assentiment pour pouvoir siéger à la cour le jour du Vendredi saint. Un collègue lui fait remarquer : « Votre Honneur, vous seriez le premier juge à le faire depuis Ponce Pilate ! » *William Davy*

« Qui a rejeté son démon nous importune avec ses anges. »
Henri Michaux

« Nous abritons un ange que nous choquons sans cesse. Nous devons être les gardiens de cet ange. » *Jean Cocteau*

« Ange : un piéton qui a oublié de sauter… » *Antony B. Lake*

« Le dimanche, les chiens n'aboient même pas dans cette religion-là ! »
Victor Hugo

« Polyglotte : perroquet qui jure en plusieurs langues… »
G. Wurdz

« Il apprenait la chanson avec laquelle les grenouilles louent Dieu. »
Taoïsme

Un évêque, en visite chez des amis qui venaient de se marier récemment, eut la surprise de sa vie en se réveillant le matin aux accents du cantique *Plus près de toi, mon Dieu*. Il crut reconnaître la voix de son hôtesse et s'enquit auprès d'elle au moment du petit déjeuner. Elle lui expliqua qu'elle n'avait pas chanté en son honneur, mais que c'était plutôt un truc à elle pour faire bouillir ses œufs : « Je chante deux couplets pour un mollet et cinq pour un œuf dur ! » *Lewis et Faye Copeland*

Un pope orthodoxe emprisonné dans un goulag essaie de réconforter son entourage. Il leur dit : « Remercions le Ciel, on n'a jamais eu un si bel hiver ! » L'un des prisonniers réagit : « Si ! … L'été dernier ! »

Un psychiatre agnostique est assigné auprès d'un patient qui se prend pour Dieu. Sans vouloir se moquer, il décide tout de même de vérifier et lui demande : « Dites-moi, en ce qui concerne la création en six jours… Étaient-ce de vraies journées ou des périodes de temps symboliques ? » Et le patient répond, comme un dieu : « Excusez-moi, docteur, je ne parle jamais des choses du bureau ! »

Un ministre du culte avait l'habitude de commencer chacun de ses prêches en remerciant Dieu pour le beau temps. Un dimanche où le temps était particulièrement maussade, gris et froid, tout le monde se demandait de quoi il allait pouvoir remercier Dieu. C'est alors qu'ils entendirent ceci : « Merci, Seigneur, de nous donner si peu de dimanches comme celui-ci ! »

Prochnow

Le chanoine-conférencier vient d'être présenté. Il remercie son hôte de ses bons mots pour lui, de sa générosité même. « Avec votre permission, je vais d'abord faire deux prières pour implorer le pardon de Dieu. La première pour mon présentateur, qui a un peu menti pour me mettre en valeur. Et la deuxième, pour moi, qui ai un peu trop joui en l'écoutant. »

Peter Eldin

À venir bientôt : L'Église du Moi retrouvé, l'Église du Réveil de l'Enfant Jésus, l'Église du P'tit Guide-Up…

R.T.

Une délégation de sages est envoyée au Ciel pour poser des questions importantes au Créateur. Le dialogue suivant s'engage : « Dites-nous, Seigneur, pourquoi avoir donné aux femmes un corps harmonieux et doux ?

– Pour que les hommes puissent les aimer, mes enfants !

– Et pourquoi les femmes sont-elles si tendres, si affectueuses ?

– Pour que les hommes puissent les aimer !

– Mais pourquoi sont-elles si folichonnes et stupides ?

– Pour qu'elles puissent aimer les hommes, chers enfants ! »

Un franciscain s'amène au Paradis. Pas de veine ! Saint Pierre lui dit en peu de mots : « Attendez ici, j'ai à m'occuper d'un évêque ! » Dix minutes plus tard, c'est au tour d'un oblat qui se voit répondre aussi : « Je vous reviens… j'ai un évêque à recevoir ! » Survient un jésuite à qui ses deux confrères expliquent la situation… Le jésuite leur dit : « Laissez-moi faire ! » Il empoigne alors le franciscain sous son bras gauche et l'oblat sous l'autre bras et fonce vers saint Pierre en criant : « Les bagages de Monseigneur ! » *Michel Leeb*

« Bonne nouvelle pour les non-fumeurs : en Enfer, on ne fume pas… on brûle ! »

« La vieillesse, c'est le service externe du Purgatoire… »
Lord Hugh Cecil

« Le Purgatoire, c'est la buanderette de Dieu… » *Levinson*

Il y a Blum qui débarque au Paradis pour se faire dire par le saint Portier qu'il n'a pas mené une vie assez exemplaire qu'elle puisse lui valoir le Ciel. Blum se mit à *blumer* tout le monde et son père ! On fit même descendre Dieu pour arbitrer le conflit. En bon *gambler* compulsif, il mit Dieu au défi : « Si je gagne, vous m'acceptez chez Vous ! Si je perds, je descends en Enfer ! » Sur l'acceptation de Dieu, il bat les cartes et s'apprête à lancer la partie, quand il stoppe tout et regarde longuement son Créateur : « Mon Dieu, je Vous fais confiance, pas de miracle, s'il vous plaît ! »

Une règle monastique sévère stipulait que les moines pouvaient dire deux mots à tous les 10 ans. Le père Abbé reçut donc l'un d'eux qui lui dit : « Nourriture froide ! » Dix ans plus tard, le même moine récidive avec, cette fois : « Lit dur ! » Une décennie plus tard, le moine joue le jeu pour une dernière fois en disant : « Je quitte ! » Le bon père Abbé lui avoue alors : « Je ne suis pas surpris : vous n'arrêtez pas de vous plaindre ! »

Madame Finkelstein a décidé de rencontrer le Grand Swami, perché dans les altitudes de l'Himalaya. Avion nolisé, jeep surpuissante, chevaux et dromadaires crevés : rien ne l'arrête ! Elle négocie les permissions, droits de passage et d'escalade et parvient enfin au monastère. Après des jours d'attente, on l'introduit enfin au Grand Swami. Elle lui dit, après avoir expédié les courbettes : « Écoute, Melvin, ça va faire : tu rentres à la maison ! »

I. Asimov

On faisait remarquer à Voltaire que le peuple avait tendance à devenir de moins en moins religieux. «Dommage, dit-il, comme cela est fâcheux ! De quoi nous moquerons-nous à l'avenir ? »

«Si Dieu meurt, c'est Jésus qui hérite de tout ! »

Jean-Marie Gourio

«Le vrai miracle n'est pas de marcher sur les eaux, de voler dans les airs, il est de marcher sur la terre en rejoignant le ciel. »

Houeï Neng

«Il avait le genre de face qui vous convainc que Dieu a le sens de l'humour… »

Bill Bryson

«Il avait beau tirer divinement bien, Dieu eut pitié des oiseaux… »

«Les hommes, c'est comme le vin : certains tournent au vinaigre, mais les meilleurs s'améliorent avec l'âge. »

Jean XXIII

Lettre de François Mauriac : «Je vous admire d'avoir mis sept ans à écrire un volume. Moi, je finirai bien par ne plus mettre que sept jours : mon seul point commun avec Dieu… »

«Dieu créa le poète, puis s'emparant d'une poignée de restes, Il fit trois critiques. »

T.J. Thomas

«Un petit brin d'herbe sur Terre a son étoile pour le guider au Paradis. »

« Au Ciel, une place spéciale est réservée à ceux qui peuvent pleurer, mais pas prier… »

« Un chemin conduit au Paradis, mille à l'Enfer… »

Sagesse juive

« Un homme n'est pas honnête seulement parce qu'il n'a pas eu l'occasion de voler… »

Sagesse juive

« Nous descendons des singes ? Espérons que c'est faux. Au cas contraire, prions pour que cela ne se sache pas trop… »

F.A. Montagu

« On met Dieu en colère par nos péchés et les gens par nos vertus. »

« Le timide va au Paradis, l'effronté au Purgatoire. »

« Dieu sait que la meilleure synagogue, c'est le cœur humain. »

Sagesse hassidique

Dieu a laissé inachevée la partie Nord du monde en disant : « Pour qui se prend pour un dieu, qu'il complète cela ! … »

Rabbi Eliezer

« Cher bon Dieu, aide-moi à me relever ; tomber, je peux le faire tout seul… »

« Si les hommes remerciaient Dieu pour ses bienfaits, ils n'auraient pas le temps de se plaindre de leurs malheurs. »

Un ami, ex-directeur des services aux étudiants d'un cégep, aimait raconter cet épisode datant d'une époque où il avait dû, en guise d'examen pour l'École Normale, donner une classe de pastorale sur le sacrement des mourants à un groupe de délinquants ! Comme il leur explique le sens des diverses onctions à faire, un grand *tarlais* lève la main nonchalamment et lui pose cette colle : « Si ton mourant est pris avec une jambe artificielle, le curé va-t'y pouvoir lui faire une *nonction* dessus… ? » Rires épais de la colonie ! Jean-Guy, ne voulant pas perdre la face devant ses examinateurs, retrouve aussitôt son sang-froid : « Excellente question ! … Non, non, riez pas, c'est une très bonne question ! » Saisissant un livre devant lui, il l'ouvre et le feuillette rapidement. Faisant mine de trouver, il proclame : « Tiens, c'est écrit ici… en toutes lettres : "On ne doit pas faire d'onctions sur un membre artificiel…" Refermant le livre, il conclut : « Tu vois, ça veut dire que… quand toi, tu seras mourant, on pourra pas te faire d'onction sur la tête ! ! ! » Rires démesurés, mais intelligents de la colonie !

« Dieu, les dix commandements et tout enseignement moral ont été mis à la porte des écoles publiques américaines. Pâques a disparu et on a maintenant le Jour de la Terre pour honorer la poussière ! » *Pat Buchanan*

« Aussi longtemps qu'on enseignera l'algèbre, il y aura des prières à l'école. »   *Larry Miller*

Mario Jean : « Aimez-vous les uns les autres ! … Moi, je veux bien. C'est les autres qui veulent pas ! »

« Comme disait Dieu à un moment donné – et je crois qu'Il avait raison – ... »
Margaret Thatcher

« Entendre les confessions des religieuses, c'est comme être lapidé à mort avec du popcorn... »
Fulton J. Sheen

« Il y a deux êtres à craindre : Dieu et ceux qui ne craignent pas Dieu... »
Sagesse hassidique

« Dieu veille sur les fous – qui d'autre le pourrait ? »

« Dieu a donné mains et jambes aux fous – et les a laissés courir. »

« Prie pour que tu n'aies pas à souffrir de tout ce que tu peux endurer. »

« Avec la Foi, il n'y a pas de questions ; sans la Foi, il n'y a pas de réponses. »
Chofetz Chaim

« Les mots de la Torah guérissent l'âme, pas le corps. »
Maimonides

« Ce que Dieu fait est ce qu'il y a de mieux – probablement. »

« La pauvreté vient de Dieu, mais pas la saleté. »

« Laissons Dieu s'occuper de l'avenir – qui me prêtera aujourd'hui ? »

« Quand je prie, je le fais rapidement, parce que je parle à Dieu; quand j'étudie, je lis lentement, parce que c'est Dieu qui me parle. »

Un incroyant visite une synagogue et s'étonne devant l'Arche, les Manuscrits et la Lumière Éternelle. Il ricane : « C'est un tas de superstitions ! Si je me trompe, que Dieu me corrige ! » Et une voix immense venant du Ciel proclame : « Tu as raison ! »

« Non seulement il a enfreint le commandement de ne pas voler, mais il a volé la Bible… »

« L'homme devrait se souvenir : tous les ennuis ne viennent pas du Ciel… »

« Il n'y a pas de place pour Dieu dans un homme rempli de lui-même… »

Baal Shem Tov

« Nous irritons Dieu avec nos péchés, et les hommes avec nos vertus. »

« Que Dieu vous protège des mauvaises femmes. Protégez-vous vous-mêmes contre les bonnes. »

Dieu a dit : « Ne corrompez pas Mon univers; car si vous le faites, qui le redressera après vous ? »

« Quand les prières montent, les bienfaits descendent. »

« Et maintenant, cher Dieu, au revoir ! Je pars pour l'Amérique ! »

« Si Dieu le voulait, les balais tireraient. »

« Espérez un miracle, mais ne dépendez pas de lui. »

« Dieu protège les pauvres : il les éloigne des péchés dispendieux… »

« Dieu se réjouit quand un pauvre trouve un trésor – et le remet. »

« Les hommes devraient prendre soin de ne pas faire pleurer les femmes, parce que Dieu compte leurs larmes. »

« J'aime prier à l'aube, avant que le monde ne devienne pollué par la vanité et la haine. »

Rabbin Koretser

« C'est un homme bon – si l'on se fie à son épitaphe… »

« Dieu est un père, le Destin, un beau-père. »

« On n'a jamais vu un humoriste fonder une religion. »

R.C. Ingersoll

« La fatigue est facile à confondre avec… l'incrédulité. »

G. Greene

« … Donne à Dieu ce qui est à Dieu et à César ce qui est à César ! Il ne s'agit là que de donner et non de prendre. »

Henri Heine

« Dieu créa l'homme à son image, dit la Bible; les philosophes font le contraire, ils créent Dieu à la leur. »

G.C. Lichtenberg

« Lorsqu'on soutenait au père Malebranche que les animaux étaient sensibles à la douleur, il répondait en plaisantant qu'apparemment, ils avaient mangé du foin défendu. »

Helvétius

« Des millions de gens se languissent de l'immortalité qui ne savent pas quoi faire d'eux-mêmes un dimanche après-midi ! »

Susan Ertz

« Je souhaite aller en Enfer plutôt qu'au Paradis. C'est dans cet endroit que je pourrai jouir de la compagnie des papes, des rois et des princes, tandis qu'au Ciel je ne trouverai que des mendiants, des moines et des apôtres… ! »

Machiavel

« C'est un catholique tellement dévot qu'il ne pourra être heureux que s'il est crucifié ! »

John B. Keane

« Un athée qui meurt est quelqu'un de bien habillé sans nulle part où aller… »

James Duffecy

« La Bible nous commande de pardonner à nos ennemis; pas à nos amis… »

Margot Asquith

– Le journaliste : « Vos personnages sont-ils toujours inspirés par des êtres réels ? »

– William Faulkner : « Non, jamais. Dieu a créé les êtres du mieux qu'il a pu. J'essaie de faire un peu mieux que Lui. »

« Je le soignai, Dieu le guérit. »   *Ambroise Paré*

« Mozart est toujours sur deux niveaux. Il n'est pas seulement en prise directe avec Dieu, il veut aussi plaire à l'archevêque… »   *Peter Ustinov*

« Pour qu'il n'y ait pas de jalousie raciale, Dieu a fait le jour blanc et la nuit noire. »   *Albert Willemetz*

« Si lui est rabbin, alors qu'il n'y en ait pas beaucoup comme lui. »

« Dieu est aussi près de vous que vos pensées le lui permettent. »   *Sra Daya Mata*

« Ô mon âme, tu es capable de Dieu, malheur à toi si tu te contentes de moins que de Dieu ! »   *Saint François de Sales*

« Je comprends très bien, dit Dieu, qu'on fasse son examen de conscience. C'est un excellent exercice. Il ne faut pas en abuser. »   *C. Péguy*

« Faute de pouvoir vivre davantage, elle se disposait à aller voir, comme disait la comtesse de P., si Dieu gagne à être connu. »   *A. France*

« Une preuve que l'irréligion a gagné, c'est que les bons mots ne sont plus tirés de l'Écriture, ni du langage de la religion : une impiété n'a plus de sel. » *Montesquieu*

« L'avenir appartient à l'Église qui aura les portes les plus larges. » *Alphonse Karr*

« La vertu a bien des prédicateurs et peu de martyrs. » *Helvétius*

« Ma famille sait que ma cuisine est dangereuse. Comment expliquer autrement que les grâces, chez nous, durent 45 minutes ? … » *Gene Perret*

« Je ne cherche pas la bête noire, mais je me demande tout de même pourquoi Dieu n'aurait-il pas envisagé de faire tomber la neige vers le haut… » *Robert Orben*

« Si Dieu existe, qu'Il le prouve et s'Il n'existe pas, qu'Il ait le courage de l'avouer… » *Pierre Dac*

« Preuve de l'existence de Dieu : Prenez Descartes au hasard… » *Roland Bacri*

« Si Dieu souffrait d'amnésie, est-ce que ça ferait de Lui un athée ? » *Gene Perret et Terry Martin*

« Si l'orgueil vous taraude, rappelez-vous qu'une puce vous précède dans l'ordre de la création divine. » *Tosephta*

« Monsieur le pasteur, j'ai une terrible nouvelle pour vous. Des voleurs se sont introduits par effraction dans l'église, hier soir. Ils ont volé 90 000 $ de promesses de dons ! »

Pat Williams

« Mieux vaut s'amener au Ciel en guenilles que tout chamarré en Enfer… »

« Qu'est-ce que c'est que tout ce tintouin contre la prière silencieuse dans les écoles ? Qu'est-ce que ces opposants pensent qu'il arrive quand un prof fait passer un test ou remet les bulletins ? »

« Ne vous repentez pas trop – péchez simplement moins souvent ! »

« Il y a des gens qui répètent *mea culpa*, mais en frappant la poitrine de leur voisin. »

Robert Sabatier

« Bien des gens considèrent le dimanche comme une éponge qui efface les péchés de la semaine… »

H.W. Beecher

« Mieux vaut parler avec une femme et penser à Dieu, que de parler à Dieu et penser à une femme. »

Proverbe yiddish

« Là où les croyants et les non-croyants vivent de la même manière, j'ai des doutes sur la religion… »

Ralph W. Emerson

« Adam n'aurait jamais pris femme si on ne l'avait d'abord endormi… »

« Il fut un temps où l'on trouvait des anges partout sur la Terre; aujourd'hui, on n'en trouve même plus au Ciel. »

« L'angélisme bat de l'aile… »

R.T.

Le coach d'une équipe perdante se voit demander par un journaliste : « Est-ce que votre équipe prie avant une partie ? » À quoi il répond semi-candidement : « Non… et c'est parce qu'on a tellement de motifs de prier qu'on serait fatalement punis pour avoir retardé la partie ! »

Pat Williams

« Rien n'est plus fatal à la religion que l'indifférence, car cela équivaut, à tout le moins, à une demi-infidélité. »

Edmund Burke

Un curé se voit assigner une nouvelle paroisse. L'une de ses ouailles se plaint de son départ. Le curé lui suggère : « Mais voyons, personne n'est irremplaçable, le prochain curé sera probablement meilleur… » Et la pauvre paroissienne de conclure, un peu désespérée : « C'est ce qu'on nous avait dit la dernière fois ! »

« S'adressant à l'un de ses enfants, Victor Hugo lui précise : "Tu dois comprendre que ton père n'est pas un saint… ou, au mieux, saint Augustin… mais avant sa conversion !" »

« Il ne faut pas tenter les saints, à plus forte raison ceux qui ne le sont pas. »

Proverbe italien

« Gourou : individu qui passe pour brillant alors qu'il n'est souvent qu'un illuminé… »

Michel Lauzière

« Quelle époque ! Même le salaire du péché est gelé ! »

Un ministre expliquait à sa femme : « Mon sermon sur les riches qui devraient donner aux pauvres a été un demi-succès. J'ai convaincu les pauvres… »

Milton Berle

« Ma plus grande crainte, disait un agonisant, c'est de me présenter à la porte du Paradis, derrière Mère Teresa, et d'entendre saint Pierre lui dire : "Non… vous n'en avez pas fait assez !"… »

– L'animateur de pastorale : « Quelques saints, comme sainte Jeanne d'Arc, ont été brûlés vifs sur un bûcher ! »
– Le petit Anglo : « Holy smoke ! »

Un avion affronte des turbulences. Un passager effrayé s'adresse à son voisin qui porte un col romain : « Mon père, vous ne pourriez pas poser un geste religieux… ? » Le prêtre sourit et propose : « Que diriez-vous d'une partie de bingo ? »

Il y a cette église vraiment *classy* du West Island… Le pasteur précise : « Pour chouer à la bingo, on usetilise des "unlisted numbers" ! »

Un visiteur qui complète la tournée d'un monastère interroge une religieuse qui lui paraît jeune et moderne : « Dites-moi, ma sœur, croyez-vous qu'un jour le pape pourrait permettre le mariage des moniales ? » Celle-ci lui répond suavement : « Un jour, ELLE pourrait bien le faire ! »

« Mon rêve : trouver un emploi dans l'un ou l'autre des bureaux du Vatican ! Me débarrasser pour toujours des cotisations pour acheter des cadeaux aux nouveau-nés des employés ! »

« Je connais un gars qui croit ferme qu'il est un cadeau de Dieu fait aux femmes. Et toutes les femmes espèrent que le cadeau est retournable… »

Perret et Martin

Je connais un égocentrique qui, chaque jour, s'adresse à Dieu en Lui disant : « Cher Dieu, as-tu besoin de quelque chose… ? »

« Ne vous en faites pas, moi non plus je ne connais pas la *Prière d'enlever vos chaussures…* »

Ghislain Taschereau

Mauriac à Siné : « … Nous ne vous reprochons pas d'être anticlérical. Un chrétien fervent a plus que vous des raisons de l'être, car il souffre plus que vous de ce qui vous irrite… »

« Je ne fais jamais d'exercices… Après tout, si Dieu avait voulu qu'on touche nos orteils, Il les aurait placés plus haut… »

Le Messie est enfin arrivé. La communauté juive lui fait fête. Seul un vieux rabbin a l'air préoccupé. Il prend le Messie à part et lui dit : « Si quelqu'un vous demande si vous êtes déjà venu sur la terre, vous ne répondrez pas ! »

Michel Tournier

🪰

« Si Dieu avait voulu que nous courions comme ça dans les rues, Il nous aurait pourvus de clignotants… »

Perret et Martin

🪰

Un grand timide s'installe en Enfer comme s'il avait toujours vécu là. Surpris, un co-détenu lui dit : « Dis donc, t'as l'air du propriétaire de la place ! » L'autre explique : « Depuis le temps que ma femme et mon boss m'envoient promener ici… »

🪰

« Les gens en Enfer, où envoient-ils promener les autres ? »

R. Skelton

🪰

« Je me demande si l'Enfer a une section non-fumeurs… ? »

🪰

Deux anges, se rappelant d'avoir été humains, jasent de météo : « Quel temps prévoit-on pour demain ?
– Nuageux !
– Tant mieux, on va pouvoir s'asseoir ! »

Guy Samson

🪰

« Qui sait si l'Enfer n'est pas que le Ciel sans service aux chambres ? »

🪰

« En vieillissant, on n'écrit plus sur Dieu : on le lit ! »

Félix Leclerc

« Les épitaphes mentent plus que les arracheurs de dents. »

Rodolphe Toepffer

« À ma mort, plutôt que d'observer une minute de silence, je préférerais une minute de rire… »

Bob Talbert

« Lorsque nous observons une minute de silence, nous faisons semblant d'être morts. »

Robert Sabatier

« Je sens bien que je me prépare une triste fin, car je n'ai point voulu accepter la première condition d'une bonne mort qui est l'oubli. »

Salvatore Satta

« La mort rend tous les hommes parfaits. Pour vous en convaincre, écoutez leur éloge funèbre… »

William Roylance

« Que voulez-vous que je fasse ? Qu'on arrête le tournage tout de suite et qu'on intitule ça *Les cinq commandements*… ? »

Cecil B. De Mille

« Les bonnes gens ne sont pas si bons qu'ils l'imaginent ; et les méchants ne sont pas aussi méchants que les bons le supposent. »

Évêque Creighton

« On reconnaît un cannibale converti au fait qu'il ne mange plus que des pêcheurs le vendredi… »

Emily Lotney

« Un bon sermon est celui qui vous passe par dessus la tête et va frapper un voisin… »

Changing Times

« Certains baignent dans l'amour de Dieu, d'autres y nagent. »

Gilbert Cesbron

« J'ai de la difficulté à avaler l'histoire d'Adam et Ève… Ne croyez-vous pas que Dieu a sur-réagi devant la bouchée qu'Ève a prise dans la pomme ? Encore si elle avait chipé le dernier Oreo de Dieu ! »

« Il est plus facile de marcher sur les flots avec le Christ que de traverser la vie avec un éditeur. » *Antoine de Rivarol*

« Va voir là-bas six jésuites… » *Philippe Mignaval*

« La religion est dans le cœur, pas dans les genoux. »

D. Jerrold

« Il n'y a pas de problème qu'un bon vieux miracle ne puisse résoudre. » *Harry R. Shick*

« Je crois que Dieu va descendre sur Terre et arrêter la civilisation pour excès de vitesse… ! » *Steven Wright*

« Où que vous vous tourniez, c'est face à Dieu. » *Le Coran*

« Ne soyez jamais un précurseur : c'est toujours au premier chrétien qu'échoit le plus gros lion. » *Hector Saki*

« De nos jours, il n'y a pas assez de foi pour faire un sorcier. »

J. Péladan

« Puisses-tu commettre tous les péchés de la création sans éprouver le moindre plaisir. » *Injure yiddish*

« L'on s'en souviendra de cette planète ! … Il faudra voir l'autre… » *Villiers de l'Isle-Adam*

« Ah ! c'était le bon temps ! Dans mon petit village, jadis, quand quelqu'un éternuait, tout le monde disait : "Dieu vous bénisse !"… »

« Jésus est encore le seul à avoir eu la croix et à n'avoir jamais demandé la rosette… » *Chanoine Desgranges*

« Le Figaro existe : Dieu y a rencontré Froissard ! » *San-Antonio*

« Est-ce que Dieu qui nous donne
     les fleurs comme les orties,
  Nous fournit les odeurs autant que les allergies ? » *E.Y. Harburg*

« Depuis six mille ans, la guerre
  Plaît aux peuples querelleurs,
  Et Dieu perd son temps à faire
  Les étoiles et les fleurs. » *Victor Hugo*

C'est le type d'Américain déluré. Quand il a eu la chance de rencontrer le pape en audience privée, il lui a dit chaleureusement : « La prochaine fois qu'on se verra, amenez votre femme et les enfants ! »

Un jeune Juif décide, après une quinzaine d'années vécues à New York, de revoir sa famille établie en Pologne. Sa mère, qui l'accueille tout émue, le questionne soudain : « Mais, dis-moi… qu'est-ce que tu as fait de ta barbe ?

– Vous savez, maman, la vie à New York… J'ai préféré passer inaperçu en la coupant…

– Mais… au moins, tu observes toujours le Sabbat… ?

– Vous savez, maman, à New York… la vie est tellement… prenante et exigeante que j'ai dû cesser…»

– Mais… tu manges toujours *kosher*… ?

– Vous savez, maman, à New York… le temps c'est de l'argent… on mange sur le pouce ou en dîners d'affaires… alors…

– Mais, dis-moi, mon fils… es-tu toujours circoncis… ? »

Big Book of Jewish Humor

🦋

Le même Américain a participé à une levée de fonds catholique. Il a confirmé : « J'ai su que c'était une campagne catholique parce que j'ai stationné mon auto en face de l'hôtel et ils l'ont offerte en tirage ! »

🦋

« Si Dieu ne détruit pas Hollywood Boulevard, il doit des excuses à Sodome et Gomorrhe ! »

Jay Leno

🦋

On connaît la secte appelée *Born Again*. À quelqu'un qui demandait à Dennis Miller s'il en était, il répondit : « Non, je n'en suis pas. Excusez-moi d'avoir été réussi du premier coup ! »

🦋

« La reine Victoria sera-t-elle heureuse au Paradis ?

– Elle va devoir marcher derrière des anges. Elle n'aimera pas ça ! »

Édouard VII

« Un météore vient de s'écraser au Moyen-Orient. Même Dieu leur lance des pierres ! »

Jay Leno

« La religion musulmane est la mieux équipée : pas de porc, pas d'alcool, ramadan une fois l'an égale zéro de cholestérol ; chez eux, l'infarctus court pas les souks… »

San-Antonio

Mgr Chaumont, ex-évêque auxiliaire de Montréal : « Nous accueillons donc les trois Rois mages : Melchior, Balthazar et… (un trou de mémoire) et le troisième… Ne vous inquiétez pas, il sera sûrement là pour la messe de 11 heures ! »

« Ah ! cher rabbin ! Votre éloge de ma tante à ses funérailles était extraordinaire. Elle l'aurait adoré ! Dire qu'elle l'a manqué par seulement deux jours ! »

Rabbi Bob Alper

« Au commencement, il n'y avait rien. Dieu dit : "Que la lumière fut !" Et la lumière fut. Il n'y avait toujours rien, mais on pouvait le voir beaucoup mieux ! »

Ellen DeGeneres

« Billy Graham a décrit le Ciel comme une vaste réunion de famille sans fin. Que sera l'Enfer ? Une vidéo amateur de ce meeting ? »

Barry Steiger

« Bon vivant : personne qui croit qu'il y a une vie avant la mort. »

Michel Lauzière

« La psychanalyse est une confession sans absolution. »

G.K. Chesterton

« Un chrétien se repent le dimanche de ce qu'il a fait le samedi et qu'il va refaire le lundi… » *Thomas R. Ybarra*

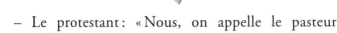

« Comment appelle-t-on ceux qui ne vont jamais à l'église ? Les Absenthéistes du Septième Jour… ! »

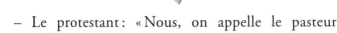

« L'ennui avec ces *born-again christians*, c'est qu'ils sont une source de problèmes pire la deuxième fois ! »

Herb Caen

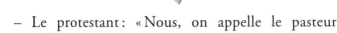

– Le protestant : « Nous, on appelle le pasteur Révérend… »
– Le baptiste : « Nous, on l'appelle Neverend… »

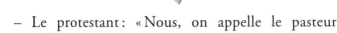

« Si vous agonisez dans un ascenseur, assurez-vous d'appuyer sur le bouton vers le Haut. » *Sam Levenson*

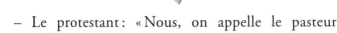

« Je ne pense pas que leur mariage va durer très longtemps. Déjà, à l'église, quand il a dit oui, elle a répondu : "Ne me parle pas sur ce ton !" » *Gary Apple*

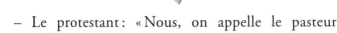

« Où est située Hollywood ?
– Principalement entre les deux oreilles, dans cette partie du cerveau américain que Dieu a évacué récemment. » *Erica Jong*

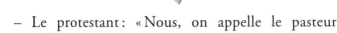

« Les chauffeurs de taxi sont une institution chrétienne. Ils sont là pour enseigner aux autres conducteurs la modestie et l'humilité, et à leurs clients de ne pas trop croire à la Providence. »

George Mikes

« Je ne cherche pas de coupable, mais je me demande si Dieu n'aurait pas dû envisager de faire monter la neige… »

R. Orben

« J'ai déjà prié dans un hôtel : on m'a facturé une dépense de 75 cents pour un appel interurbain ! »

Gene Perret

« On trouve dans la Bible beaucoup de situations du monde moderne. Par exemple, Noé, cherchant pendant 40 jours une place pour se garer… »

Laurence Peter

« Aux temps bibliques, un homme pouvait avoir autant de femmes qu'il pouvait en entretenir. Tout juste comme aujourd'hui… ! »

Abigail Van Buren

« L'homme, dit la Bible, est en exil sur cette terre. » Et l'opinion publique ajoute : « Surtout dans le XIIIe arrondissement ! »

A. Vialatte

« La seule raison pour laquelle Dieu chassa Adam et Ève du jardin d'Éden, c'est qu'ils lui volaient ses pommes ! »

Jacques Sternberg

« Dans l'affaire d'Adam et Ève, je trouve que Dieu a réagi de manière excessive. Tout ça pour une pomme ! Encore, si Ève lui avait chipé son dernier Oreo… ! »

Margot Black

« La seule raison pour laquelle ma belle-mère n'était pas à bord de l'Arche de Noé, c'est qu'ils n'ont pu trouver un animal qui lui ressemblât… »

Phyllis Diller

« Il ne faut pas oublier que, le jour du Déluge, ceux qui savaient nager se noyèrent aussi. » *Ramon Gomez de la Serna*

« On regrette souvent que Noé n'ait pas manqué le bateau. » *Mark Twain*

« Chaque homme avant le Déluge croit toujours qu'il sera Noé. » *Maurice Druon*

Et Dieu dit : « Que Satan soit, de manière à ce que les gens ne me mettent pas tout sur le dos. Et que soient aussi les avocats, pour que les gens ne mettent pas tout sur le dos de Satan ! » *John Wing*

– L'athée : « Vous croyez honnêtement que Jonas a passé trois jours dans le ventre d'une baleine ?
– Le prédicateur : « Je ne sais pas, monsieur. Mais, quand j'irai au Ciel, je le lui demanderai. »
– L'athée : « Mais, supposez qu'il ne soit pas au Ciel… »
– Le prédicateur : « Alors, vous le lui demanderez ! » *Bob Phillips*

Vu devant une église : « Vous n'êtes pas trop mauvais pour entrer ni trop bons pour rester à l'extérieur ! »

« Dieu a inventé l'homme parce qu'il était déçu du singe. » *Mark Twain*

Scène célèbre : « Saint Laurent placé sur un gril demande au bourreau de le retourner, car il est assez cuit d'un côté. On a pu parler d'humour dans le martyrologe romain… » *Jean Verdone*

« Il y a beaucoup à dire contre la charité. Le reproche le plus grave qu'on puisse faire, c'est de n'être pas pratiquée. »

G. Clemenceau

« L'habitude de se rajeunir est si ancrée, même chez les messieurs, que je me demande si Jésus-Christ est mort à 34 ans ! »

Henry de Montherlant

« Un gars éméché contemple un crucifix le jour même de Noël : "Souris, voyons… c'est ta fête !" »

Milton Berle

« Il y a deux ans que j'ai perdu la foi… Je n'oublierai jamais cette partie de poker ! »

Henny Youngman

« Des gens sur cette Terre disent que Dieu est mort. Je pense, pour ma part, qu'il reste au Ciel pour raisons de santé. »

G. Perret

Dans une lettre à l'éditeur : « J'apprends qu'on a enlevé le mot obéir dans le cérémonial du mariage. Ce nouveau texte est-il rétroactif ? »

« Dieu, ne voulant pas départir la vérité aux Grecs, leur donna la poésie… »

Joseph Joubert

« Si Dieu a fait des champignons vénéneux, c'est pour être la Providence des faits divers. »

Frères Goncourt

« Long Island est, en Amérique, l'image même de ce que Dieu aurait pu faire avec la Nature s'il avait eu de l'argent… »

Peter Fleming

« Comme la neige serait monotone si Dieu n'avait pas créé les corbeaux ! »

Jules Renard

« Je suis allée à Lourdes avec mon mari. Il n'y a pas eu de miracle : je suis revenue avec lui ! »

Seymour Brussels

« Qu'est-ce qui naquit en premier, la poule ou l'œuf ?
– La poule, bien sûr. Dieu aurait pas pu pondre un œuf ! »

« Maringouin : petit insecte imaginé par Dieu pour mieux nous habituer à penser du bien des mouches… »

Gideon Wurdz

« Vieux de la vieille : qui se souviennent du temps où *the sky was the limit"*… »

Frank J. Pepe

« L'humour est l'un des principaux attributs de Dieu. Les formes et les caractéristiques bizarroïdes de certains animaux et plantes sont sûrement des blagues divines… »

Mark Twain

« Si Dieu avait eu un imprésario, le monde ne serait pas complété : nous n'en serions qu'au jeudi… » *Jerry Reynolds*

« Si Dieu, comme on nous l'a appris, est partout, c'est pure folie que de le chercher. Il est tout trouvé ! »

Albert Brie

« Dieu a recommandé le pardon des injures, il n'a point recommandé celui des bienfaits. »

Chamfort

« Quand il est question de paix, mieux vaut s'adresser au Diable lui-même. »

Édouard Herriot

« J'aime mieux un saint qui a des défauts qu'un pécheur qui n'en a pas ! »

Charles Péguy

« Chacun est comme Dieu l'a fait, et bien souvent pire. »

Cervantes

« Si j'étais Dieu, je ne souffrirais pas les arrivistes du Ciel. »

Georges Duhamel

Prière de Sir Paddy Ashdown : « Mon Dieu, rendez mes mots doux et raisonnables. Juste au cas où un jour, j'aurais à les manger ! »

« Ce n'est pas qu'il soit superstitieux, mais il est persuadé que passer sous un chat noir porte malheur… »

Un jour, j'ai expliqué à un Irlandais du Nord que j'étais athée et il m'a dit : « Soit, mais en quel Dieu ne croyez-vous pas, celui des catholiques ou celui des protestants ? »

Quentin Crisp

« Non seulement les Juifs nous ont donné le Christ et Karl Marx, mais en plus ils se sont offert le luxe de ne suivre ni l'un ni l'autre. »

Peter Ustinov

« Tous les jours, des gens désertent l'église et retournent à Dieu. »

Lenny Bruce

« Prêcher plus qu'une demi-heure implique que le prédicateur soit un saint ou que ses auditeurs le soient... »

Whitefield

❉

– Le curé : « Dites-moi... Comment le nouveau vicaire s'est-il débrouillé avec le sermon ?
– Un paroissien : « C'était d'une pauvreté ! Il n'y avait rien là-dedans ! » (Un peu plus tard...)
– Le curé : « Et puis, comment ça s'est passé dimanche ? »
– Le vicaire : « Excellent ! Je n'ai pas eu le temps de rien préparer alors j'ai emprunté un de vos sermons ! »

Bob Phillips

❉

« On prend toujours le Ciel à témoin qu'on ne croit en rien. »

Georges Perros

❉

« Un pari ne vaut pas une messe... »

R. T.

❉

« Un des avantages de ma relative célébrité réside dans le fait que, le dimanche, si par hasard j'arrive en retard à la messe, je peux demander au curé de recommencer ! »

Jean Carmet

❉

« Dieu n'est pas un *bellboy* cosmique qu'il suffit de sonner pour avoir n'importe quoi ... »

Harry Emerson Fosdick

❉

« Les saints devraient être jugés coupables jusqu'à ce qu'on prouve leur innocence ! »

George Orwell

❉

« Si je dors au sermon, c'est que je rêve au Seigneur... »

A.-P. Dominique

« Il arrive parfois, lorsqu'on se met en croix,
« Que les clous vont blesser quelqu'un derrière soi… »

Francis Jammes

Dieu nous a donné des souvenirs pour que nous puissions avoir des roses en décembre.

J.M. Barrie

« Judas aurait pu devenir un saint, le patron de nous tous qui ne cessons de trahir… »

François Mauriac

« Avant de prendre congé de ses hôtes, Dieu convint, de la meilleure grâce du monde, qu'il n'existait pas… »

Alphonse Allais

« Dieu dit… : je me cache, mais personne ne veut me chercher ! »

Rabbi Baruch

« Qui a rejeté son démon nous importune avec ses anges ! »

« Dieu serait infiniment miséricordieux. Autant dire que c'est un bon diable ! »

Albert Brie

« Il n'y a pas de doute que le vrai châtiment de l'Enfer ne sera pas une affaire de flammes éternelles, mais plutôt celui de voir les humiliants secrets de votre vie projetés à perpétuité et en stéréo ! »

Leonard Rossiter

« On ne trouve pas d'athées dans les tranchées… »
« L'homme essaie de justifier le Dieu auquel il croit. »

Jean Grenier

« Dieu est le plus court chemin de zéro à l'infini, dans un sens ou dans l'autre… »

Alfred Jarry

« Le travail du moine, c'est de voir venir de loin ses pensées. »

Pères du désert

« Chaque homme veut un Dieu pour lui seul… » *Holbach*

« Louons la sagesse du Seigneur notre Dieu, qui a su faire de la bêtise insondable des hommes un contrepoids à leur surprenante méchanceté. »

Georges Courteline

« Il faut user de l'infini comme de tout, avec mesure. »

J. Sarment

« Quand je fais mon sermon, c'est un grand réconfort pour moi de voir les fidèles me témoigner leur confiance par leur sommeil. »

Sydney Smith

« La sainteté aussi est une tentation… »

Jean Anouilh

« Je crois vraiment que Dieu n'existe pas… J'espère qu'il ne s'en servira pas contre moi… »

Rick Reynolds

« Inutile d'interroger le Ciel, il a réponse à tout ! »

Claude Aveline

« Quand on ne croit plus au Paradis, on commence à croire au spiritisme. »

Mircea Eliade

« Comme l'a dit saint Jérôme, qu'importent les chemins par lesquels on vient à la Vérité, pourvu qu'on donne à la quête… »

François Cavanna

« L'idée qu'il n'y a pas de Dieu ne fait trembler personne; on tremble plutôt qu'il y en ait un… »

Denis Diderot

« Canoniser : photocopier une image religieuse. »

« La religion des grands consiste pour l'ordinaire à servir Dieu, sans désobliger le Diable. »

Chancelier Oxenstierna

« La maladie de notre temps est la supériorité. Il y a plus de saints que de niches. »

Balzac

Le saint curé d'Ars avait surnommé le Diable : le Grappin !

« … La foi transporte les montagnes. Que conclure, sinon que la foi se fiche pas mal de l'environnement… »

Albert Brie

« Le sacrilège, la seule manière que les impies ont encore d'être dévots… »

Marcel Jouhandeau

« Pour ceux de nous qui sommes chrétiens, une voix familière leur répète de l'aube au crépuscule : "Ne faites pas les malins ! … »

Saki

« Ce que Dieu, qui voit tout, doit s'amuser ! » *Jules Renard*

« J'ai vu cet autostoppeur avec une pancarte sur laquelle il y avait un mot : *Heaven* (Paradis). Alors, j'ai foncé dessus ! »

Steven Wright

🌿

« Lorsque Dieu a créé l'homme et la femme, il a bêtement oublié d'en déposer le brevet si bien que maintenant, le premier imbécile venu peut en faire autant. »

G.B. Shaw

🌿

« Si Dieu n'avait pas voulu que l'homme chasse, pourquoi aurait-il fait les chemises à carreaux… ? »

Johnny Carson

🌿

« Jésus a toujours enfreint la loi. Il a enfreint la loi dès le jour de sa naissance. Ses parents n'étaient pas mariés. »

G.B. Shaw

🌿

« J'aimerais Dieu si ses croyants ne l'avaient pas fait à leur image ! »

Édouard Herriot

🌿

– Une journaliste : « Mère Teresa, est-ce que ça vous gêne d'être aussi souvent photographiée ? »
– Mère Teresa : « Non, parce que j'ai une entente avec Dieu. Chaque fois qu'on prend une photo de moi, une âme du purgatoire monte au ciel. Le purgatoire doit être presque vide ! »

🌿

« Hôtesse œcuménique : Prie à dîner ensemble des gens du centre gauche et des gens du centre droit. »

Alain Schifres

🌿

« Femme, incarnation du sourire de Dieu. »

Sully Prudhomme

« Je trouve merveilleuse la clarté qui révèle des profondeurs compliquées et Mozart est toujours sur deux niveaux. Il n'est pas seulement en prise directe avec Dieu, il veut aussi plaire à l'archevêque… »

Peter Ustinov

*

« L'homme est de feu, la femme d'étoupe, le diable arrive et souffle. »

Cervantes

*

« Le pire moment pour un athée, c'est quand il se sent vraiment reconnaissant et qu'il n'a personne à remercier. »

D.G. Rossetti

*

« Lorsque vous m'applaudissiez au début, c'est ce qu'on appelle avoir la foi ; au milieu du discours, c'est de l'espérance ; et si vous applaudissez encore à la fin, ce sera de la charité ! »

Mgr F. Sheen

*

« Sinatra est le genre de type à monter au Ciel le jour de sa mort et à se mettre à engueuler le bon Dieu à cause de sa calvitie… »

Marlon Brando

*

« Si le sermon est la diffusion de la Parole de Dieu, le prône est le mot du commanditaire. »

Albert Brie

*

« L'homme est imparfait, mais ce n'est pas étonnant si l'on songe à l'époque où il fut créé. »

Alphonse Allais

*

« Pardon, monsieur, voulez-vous acheter un billet de tombola pour l'église ? »
– Jackie Gleason : « Non merci ! Que veux-tu que je fasse avec une église, si je gagne ? »

« Je soussigné, Père Éternel,
  Saint de corps et d'esprit,
  Offre Jésus en sacré fils
  À tous les hommes… »

Roland Bacri

Prière de l'imprésario : « Mon Dieu, envoyez-moi de bons acteurs – pas chers ! »

Lilian Baylis

À propos d'une sainte femme qui passe ses journées à prier Dieu : « Maman disait que c'était admirable. Moi, j'admire surtout Dieu, qui doit passer ses journées à l'écouter… »

Stéphane Laporte

« Prophète : comme un billet de 100 $: on en voit de plus en plus, et il faut se méfier des faux. »

Michel Lauzière

Autocollant : « Have Jesus – will share ! »

« Ce que Dieu est bon ! Il a fait le ciel pour nous tous, y va qui peut, mais peu y vont, c'est un peu haut… »

S.J. De Boufflers

« Quelles que soient vos croyances, on trouve toujours quelqu'un de notre côté qu'on souhaiterait voir de l'autre… »

Jasha Heifetz

« Palsambleu, Morbleu, Ventrebleu, Jarnibleu ! Dieu aussi a eu son époque bleue ! »

Jacques Prévert

« Se confesser, c'est balayer son âme… »

Commerson

Prière de l'auteur :
« Notre Père qui est aux cieux
   Et qui a aussi écrit un livre… »

« Le miracle est, avec la vigne, l'une des principales
cultures de la France… »
Pierre Daninos

« Une athée temporaire est une femme qui n'a pas
gagné au bingo pendant trois semaines… » *Sam Levenson*

« J'accepte qu'on prie dans les écoles, à la condition
qu'on accepte de faire une place à l'algèbre dans
nos églises ! »
Dylan Brody

« Je ne vais pas à la messe, car elle est à l'heure
de l'apéritif. »
Georges Courteline

« Vous allez à la messe, le dimanche ?
– Ça dépend… Quand nous avons la sécheresse, moi je
n'y vais pas, jusqu'à tant qu'il pleuve. Le bon Dieu a
besoin qu'on lui fasse comprendre. » *Marcel Pagnol*

« Un sermon à demi-cuit est cause d'indigestions
spirituelles. »
Austin O'Malley

« Chez mes grands-parents, j'avais toujours entendu
dire […] que la seule différence entre les deux partis
colombiens était que les libéraux allaient à la messe de
cinq heures pour que les conservateurs ne les voient
pas, et les conservateurs à celle de huit heures pour
qu'on sache bien qu'ils étaient croyants. »

Gabriel Garcia Marquezr

« J'ai toujours imaginé que le Paradis sera un genre de bibliothèque ! »

Jorge Luis Borges

🦋

« J'ai déjà expliqué qu'une femme qui demande l'égalité dans l'église ressemble à un Noir demandant l'égalité dans le KKK… »

Mary Daly

🦋

« Khedidja, crois-tu en Dieu ? (…)
– Moi, non, dit Khedidja. Lui, il n'en a rien à cirer ! »

Vladimir Volkoff

🦋

« Nier Dieu, c'est se priver de l'unique intérêt que peut avoir la mort. »

Sacha Guitry

🦋

« Il n'y a plus que Dieu qui nous supporte encore ! »

Maurice Clavel

🦋

« L'homme pense et Dieu compense… »

R.T.

🦋

« On m'a fait tellement peur avec le bras droit de Dieu que si j'ai été épargné jusqu'ici, c'est que je me suis caché sous son gauche. Après tout, Dieu n'est pas manchot… »

Albert-Pierre Dominique

🦋

« Quand je suis allé au Yankee Stadium, j'étais assis tellement haut que j'étais le seul dans ma rangée qui n'avais pas de harpe. »

Gilles Latulippe

🦋

– Annie : « Il y a 15 ans que tu consultes un psy ? »
– Alvy : « Oui… Je lui donne encore un an et après je vais à Lourdes ! »

Woody Allen

« Dieu a créé le chat pour donner à l'homme l'illusion qu'il caresse un tigre… »

Rudyard Kipling

« Le cri du pauvre monte jusqu'à Dieu, mais il n'arrive pas à l'oreille de l'homme… »

Lamennais

Jésus veut prendre un bain. Il se déshabille, entre dans la baignoire et… reste assis SUR l'eau. Il lève alors les yeux au ciel et dit : « Papa, laisse-moi me baigner, s'il-te-plaît ! »

Officiel de l'humour 2004

« Si Dieu avait voulu que je me touche les orteils, Il les aurait placés sur mes genoux… »

Graffiti

« Les saints qui ont eu de l'esprit me paraissent supérieurs aux philosophes. Ils ont tous vécu plus heureux, plus utiles, plus exemplaires. »

Joseph Joubert

« Pourquoi Dieu a-t-il créé l'homme avant la femme ? Parce qu'il ne voulait aucune suggestion ! »

Sam Levenson

« Pourquoi vous préoccuper de pouvoir passer votre chemise par-dessus vos ailes au Ciel ? Là où vous allez, votre problème sera peut-être de pouvoir mettre votre chapeau par-dessus les cornes ! »

Sam Levenson

« Seigneur, je vous en prie, laissez-moi vous prouver que le fait de gagner à la loterie ne me changera pas… »

Victoria Wood

« Si tu demandes pourquoi à Dieu, Il te répond :
"Viens jusqu'à moi, je te dirai…" »

🐝

« Il vaut mieux donner son âme au Diable que d'essayer
de la vendre à Dieu… »

🐝

La ministre Louise Harel est décédée. Saint Pierre la
voit se présenter à la porte du Paradis et commande
qu'on la laisse entrer. Stupeur ! Des flammes et des cris
en sortent. Madame Harel questionne : « Qu'est-ce qui
se passe ? » Et saint Pierre lui répond : « J'ai oublié de
vous le dire, on a fusionné ! »   *Gilles Latulippe*

🐝

« On n'améliore rien avec une traduction, sauf
un évêque ! »   *4e Earl de Chesterfield*

🐝

« Dieu se repose une fois l'an chez les riches, et les
pauvres se reposent sur Lui tout le reste du temps. »
                                          Renée Garneau

🐝

« Ah ! ces Puritains, soi-disant passés maîtres dans l'art
de recevoir… avec six Bibles et aucun tire-bouchon ! »
                                          Mark Twain

🐝

« Défie-toi du bœuf par devant, de la mule par derrière
et du moine de tous les côtés… »   *Cervantès*

🐝

« Nous faisons nos amis, nous faisons nos ennemis.
Mais c'est Dieu qui fait notre voisin d'à côté… »
                                          G.K. Chesterton

« Je suis un calviniste écossais et rien ne nous rend plus heureux que la misère… »

James « Scotty » Reston

Une vieille femme pleure à chaudes larmes lors de la cérémonie d'adieu à son ancien curé. Celui-ci l'approche, ému : « Pourquoi pleurez-vous ? Le diocèse va vous envoyer un meilleur curé pour me remplacer… » Et la vieille de murmurer : « … Ouais, c'est ce qu'on nous avait dit la dernière fois ! »

« Je suis juif, mais je ne vais au Temple que deux fois par année : à Noël et à Pâques ! »

Jeffrey Ross

« Si la pêche est une religion, la pêche à la mouche en est la haute hiérarchie. »

Tom Brokaw

C'est la grand-mère juive qui découvre son petit-fils en train d'être englouti par une vague géante. « Je vous en prie, Yahvé, ramenez-moi mon petit-fils ! » Et aussitôt une autre vague le lui ramène. Elle regarde alors vers le ciel et dit : « Yahvé, il avait un chapeau ! »

« La solitude n'est qu'un malentendu. C'est simplement que Dieu cherche à nous parler privément. »

« Notre meilleure chance de trouver Dieu, c'est de regarder à l'endroit où on L'avait laissé… » *Marion Kaplinsky*

« Il n'y a pas besoin d'être lugubre pour être sérieux. »

Charles Dantzig

« Ils passèrent devant une affreuse église de style victorien… une église si laide qu'elle avait probablement été faite pour être bombardée… »

Pigeon Pie

🐦

« Comme disait le Diable quand il a été nommé au Sénat : "C'est bon de revenir à la maison !"… »

T.C. Douglas

🐦

– Le conseiller biblique : « Je me permets d'insister, il faudrait trouver une authentique mâchoire d'âne pour cette scène avec Samson… »

– L'adjoint de Cecil B. De Mille : « Mon père, vous oubliez qu'il s'agit ici d'une production De Mille. On va vous trouver un âne complet ! »

🐦

– Franco Zeffirelli : « Il nous restera à sélectionner les 12 apôtres… »

– Le producteur Lew Grade : « Est-ce qu'on ne pourrait pas s'arranger avec six seulement ? »

🐦

« Certains lisent les Évangiles comme on lit (ou regarde) *Les Trois Mousquetaires*, avec le plaisir d'en trouver quatre. »

Robert Sabatier

🐦

Il y a un rabbin qui se propose d'inaugurer une synagogue ultra-moderne : le style *Tout ce que vous pouvez prier pour 1 $* !

Milton Berle

🐦

« Tout homme est une histoire sacrée… »

Patrice de La Tour du Pin

Un Italien, fervent catholique, s'achète un chien. Après une longue période d'hostilité entre eux, il l'envoie dans une école de dressage. Depuis, changement radical : il ne le mord jamais sans avoir récité le bénédicité… !

Fred Metcalf

🐝

« Dieu doit sûrement aimer les pécheurs plus que les justes, parce qu'Il les a faits beaucoup plus nombreux… »

William Roylance

🐝

« Ne prêchez pas parce que vous avez à dire quelque chose, mais parce que vous avez quelque chose à dire. »

Richard Whately

🐝

« Mon ami, le chef d'orchestre Emory Davis, n'a pas un poil sur la tête. Il dit à qui veut l'entendre : "Dieu n'a fait que quelques têtes parfaites. Les autres, Il les a couvertes de cheveux !"… »

I. Asimov

🐝

« Les vaches sacrées font les meilleurs hamburgers. »

🐝

« Je me suis inscrit à un nouveau regroupement appelé les Divorcés Anonymes, disait un Bostonien. Chaque fois que j'ai le goût de laisser ma femme, le groupe m'envoie un comptable pour m'en parler… »

🐝

« Ma femme est sûrement une descendante de Noé : chaque fois qu'on part en voyage, elle emporte tout en double ! »

Milton Berle

Un *preacher* américain en visite dans l'Ouest canadien demandait à ses auditeurs : « Qui n'aimerait pas aller au Ciel à sa mort ? » Une main se lève et une voix narquoise proclame : « Moi, ça ne me dit rien… Vous connaissant, vous autres Américains, je suis sûr que si le Ciel était vraiment intéressant, vous l'auriez vite monopolisé… ! »

« Le monde moderne, c'est-à-dire quand les billes du *flipper* ont remplacé les grains du chapelet. » *Robert Sabatier*

« Chaque homme avant le Déluge croit toujours qu'il sera Noé. » *Maurice Druon*

« Celui qui dit une chose en en citant l'auteur apporte du bien au monde. »

« L'esprit divin ne peut se poser que sur un cœur joyeux. » *Maxi Proverbes juifs*

« Un sacré sans humour est une imposture, un humour sans sacré, une caricature. » *Philippe Sollers*

MEMBRE DU GROUPE SCABRINI

Québec, Canada
2006